Mascha

The Poems of Mascha Kaléko

Andreas Nolte

Fomite
Burlington, VT

Cover painting: Future (Woman in Stockholm), 1917, Gabriele Münter

Gabriele Münter (1877 – 1962) was a German expressionist painter. Like Kaléko, Münter was one of a very few women in a male dominated field. She was a leading painter of the Munich avant-garde in the early 20th century. Together with Kadinsky and Marc, she founded the influential expressionist group known as "Der blaue Reiter" (The Blue Rider).

ISBN-978-1-942515-92-0
Library of Congress Control Number: 2017934563

Fomite
58 Peru Street
Burlington, VT 05401
www.fomitepress.com

Mascha Kaléko © Deutsches Literaturarchiv, Marbach

Inhalt

Contents

Einführung zur 2. Auflage

Vor sechs Jahren erschien die erste Auflage dieser Übersetzungen und die Bücher waren schnell verteilt an interessierte Fans von Mascha Kalékos Dichtung und an rund 125 Bibliotheken in vielen Teilen der Welt. Mein oberstes Ziel für dieses Buch war es gewesen, ihre Gedichte sowie Informationen über das bemerkenswerte Leben der Dichterin englischsprachigen Lesern zugänglich zu machen.

Im vorigen Jahr begann ich mit der Arbeit an einer zweiten Auflage. Dieses Anliegen wurde vor allem durch die vielen Anfragen nach Exemplaren angetrieben, die ich weiterhin für das mittlerweile „ausverkaufte" Buch erhielt. Aber auch andere Gründe sprachen für 2015 als ein gutes Jahr für eine Neuausgabe. Es war nicht nur mittlerweile 85 Jahre her, seit Kalékos erste Gedichte mit großem Erfolg in deutschen Zeitungen und Zeitschriften erschienen waren, in dieses Jahr fiel auch das 70-jährige Jubiläum von einem der sehr wenigen bedeutenden literarischen Erfolge in ihrem Leben: der Veröffentlichung ihres dritten Buches, *Verse für Zeitgenossen*, 1945 durch den Schoenhof Verlag in Cambridge, Massachusetts. Und dann war 2015 schließlich das Jahr ihres 40. Todestages.

Aus verschiedenen Gründen verzögerte sich die Veröffentlichung einer neuen Ausgabe. Aber auch 2016 scheint ein passendes Jahr zu sein, um dieses zu tun. Es war nämlich vor 60 Jahren, in 1956, dass derselbe Rowohlt Verlag, von dem 1933 *Das Lyrische Stenogrammheft* und 1934 das *Kleine Lesebuch für Große* herausgegeben worden waren, sich schließlich dazu entschlossen hatte, eine neue Ausgabe von Kalékos ersten beiden Gedichtbänden zu veröffentlichen. Im selben Jahr entschied sich die Dichterin dann zu ihrer ersten Deutschlandreise nach Kriegsende, und sie erlebte dort die Neuauflage ihrer Bücher, die 20 Jahre zuvor von den Nazis verboten worden waren, kurz bevor sie Deutschland hatte verlassen müssen, um zu überleben. Diese Reise in die Heimat und zurück ins Rampenlicht markierte den Beginn von Kalékos zweiter Karriere in Deutschland.

Preface to the 2ⁿᵈ edition

Six years ago, the first edition of these translations was published, and the books were quickly distributed to interested fans of Mascha Kaléko's poetry and to about 125 libraries in many parts of the world. My main goal for this book had been to make her works, along with information about the poet's remarkable life, accessible to English-speaking readers.

Last year, I started working on a second edition. This undertaking was mainly inspired by many requests I still received for a copy of the book which had "sold out" long ago. But 2015 seemed a good year for a new edition in other ways as well. Not only was it now 85 years since Kaléko's first poems had appeared with great success in German newspapers and magazines, it was also 70 years after one of the very few significant literary successes during her lifetime: the publication of her third book, *Verse für Zeitgenossen,* in 1945 by Schoenhof Verlag in Cambridge, Massachusetts. And then, finally, 2015 was the year that marked the 40ᵗʰ anniversary of the poet's death.

Various reasons delayed the publication of a new edition. But 2016 also seems to be a fitting year to do just that. After all, it was 60 years ago, in 1956, that Rowohlt Verlag, who in 1933 had published *Das lyrische Stenogrammheft* and in 1934 *Kleines Lesebuch für Große,* had finally decided to issue a new edition of Kaléko's first two poetry books. That very same year, the poet decided to travel to Germany for the first time after the war had ended, and there she witnessed the re-publication of her books that had been banned by the Nazis 20 years earlier, just before she had to leave in order to survive. This journey back home and into the limelight marked the beginning of Kaléko's 2ⁿᵈ career in Germany.

Another reason for a new edition of these translations this year is that Fomite Press has offered to publish a true dual language edition. Kaléko would have surely liked this: she lived between the two languages much of her life after fleeing Berlin in 1938; she continued to

Ein weiterer Grund für eine Neuauflage der Übersetzungen in diesem Jahr ist die Bereitschaft von Fomite Press eine komplett zweisprachige Ausgabe herauszugeben. Dies hätte Kaléko sicherlich gefallen: sie lebte einen großen Teil ihres Lebens zwischen den beiden Sprachen, nachdem sie 1938 aus Berlin geflohen war; sie schrieb und publizierte weiterhin auf Deutsch, obwohl sie die meisten ihrer Exiljahre in den USA verbrachte.

Viel ist geschehen mit Kalékos Dichtung in englischer Übersetzung seit dem Erscheinen des vorliegenden Buches vor sechs Jahren. Ein früher Höhepunkt war eine Aufführung von der Fairplay Foundation (Michael Y. Wiener) im März 2012 in Zürich mit der Lesung einer Auswahl der hier zu findenden Übersetzungen durch die Schauspielerin Céline Bolomey, von der Teile durch die BBC ausgestrahlt wurden. Ruth Ingram in London, die selber einige Gedichte Kalékos übersetzt hat, hat an verschiedenen Orten in und um London Lesungen gehalten. Diesseits des Atlantiks haben David Agee und Lee Varon im September 2014 einen Poesie-Abend mit Übersetzungen und biografischen Einleitungen aus diesem Buch bei Stone Soup Poetry in Cambridge, Massachusetts organisiert, also genau dort, wo der Schoenhof Verlag 1945 Kalékos dritten Gedichtband herausgegeben hatte. Die hier zu findenden Übersetzungen sind jedoch nicht nur im Druck oder auf einer Bühne aufgetaucht, sondern ebenso in anderen Medien; Internet-Suchen entdecken komplette Gedichte oder einzelne Verse in YouTube-Videos und in Liedertexten auf Musik-CDs.

Die neue und erweiterte Auflage dieses Buches kommt mit einigen Abweichungen von der ursprünglichen Version. Enthalten sind nun zusätzliche Übersetzungen und die Einführungen zu den einzelnen Kapiteln sind jetzt ebenfalls in deutscher Sprache abgedruckt. Diese biografischen Texte sind unverändert aus der Ausgabe von 2010 übernommen und die deutschen Übersetzungen halten sich sehr eng an den englischen Originaltext. Auch den Anhang gibt es nun zusätzlich in deutscher Sprache. Die Neuauflage ist damit eine komplett zweisprachige Publikation.

Die neuen Übersetzungen der Gedichte folgen ebenso wie die bereits

write and publish in German, even though she spent most of her exile years in the United States.

Much has happened with Kaléko's poetry in English translation since the appearance of this book six years ago. An early highlight was a performance organized by the Fairplay Foundation (Michael Y. Wiener) in March 2012 in Zurich, Switzerland, with a reading of translations found in this book by the actress Céline Bolomey of which sections were broadcast by the BBC. Ruth Ingram in London, who herself has translated several poems by Kaléko, has read at various venues in and around London. On this side of the Atlantic, in September 2014, David Agee and Lee Varon organized a poetry event based on translations and biographical notes from this book at Stone Soup Poetry in Cambridge, Massachusetts, the very location of Schoenhof Verlag, the publisher of Kaléko's third book of poetry in 1945. Translations found here did not only appear in ink on paper or on stages, but in other media as well; Internet searches discover complete poems or individual verses in YouTube videos and as lyrics on music CDs.

The new and expanded edition of this book comes with a few variations from the original version. Most notably, included here are translations of additional poems and the introductions for each chapter are now provided in German as well. These biographical texts are unchanged from the 2010 edition, and the German translations are very closely based on the original English text. The appendices are now in German as well. This new edition is, therefore, an entirely dual language publication.

The new translations of poems, just like the previous ones, follow Kaléko's German originals as closely as possible. For the most part, I have again translated line by line – language allowing, even word for word –, keeping the content unchanged, using similar phrases and syntax, and trying to maintain the poet's often very strict meter and rhyme scheme. Here and there, this may again have resulted in verses that sound a bit unusual for English ears, but I would like to remind the reader that even Kaléko's original poems – often fully intended by the poet – have the occasional peculiarity in language use or wording,

vorhandenen so weit wie möglich Kalékos deutschem Original. Zum größten Teil ich habe wieder zeilenweise übersetzt – wo die Sprache es erlaubt sogar Wort für Wort –, den Inhalt unverändert gehalten, ähnliche Phrasen und Syntax verwendet, und das oft sehr strenge Metrum und das Reimschema der Dichterin aufrecht zu erhalten versucht. Hier und da mag es dadurch wieder zu Versen gekommen sein, die für englische Ohren ungewöhnlich klingen, aber ich möchte den Leser daran erinnern, dass sogar Kalékos originale Gedichte – oft von der Dichterin so gewollt – die gelegentliche Besonderheit im Gebrauch der Sprache oder in der Formulierung aufweisen, wie dies in der Poesie im Gegensatz zur Prosa deutlich akzeptierbarer ist. Wie schon bei den Übersetzungen von 2010 ist es mein oberstes Ziel, englischsprachigen Lesern eine möglichst komplette Erfahrung dessen zu vermitteln, was Kaléko sagen wollte; nichts ist hinzugefügt, nichts ist weggelassen.

Ein weiterer Unterschied zur Erstausgabe besteht darin, dass jetzt unter den einzelnen Gedichten das Jahr der ersten Veröffentlichung oder der nach neuester Forschung wahrscheinlichen Entstehung angegeben ist; undatierte Texte aus Kalékos Nachlass sind dementsprechend gekennzeichnet. Im Anhang gibt es nun eine Aufstellung mit den Quellenangaben, wie von den Verlagen mit Urheberrechten für die erste Ausgabe vorgegeben. Neu ist der Hinweis, wo ein Gedicht im ersten Band der vierbändigen Ausgabe *Mascha Kaléko: Sämtliche Werke und Briefe* (Deutscher Taschenbuch Verlag, 2012) zu finden ist. Ganz offensichtlich sind die Verbesserungen in der künstlerischen Gestaltung dieser Neuausgabe, wofür ich Marc Estrin und Donna Bister von Fomite Press sehr dankbar bin. Auch die Veränderungen im Innenleben im Vergleich zur Erstausgabe, inklusive des neuen Titels, der die Dichterin in den Vordergrund stellt und nicht ihre Erfahrungen, sowie die Aufnahme von neuen, ganz bestimmten Übersetzungen beruhen auf klugen Vorschlägen von Marc und Donna.

Zusätzlicher Dank geht wieder an meine ersten Leser Wolfgang Mieder und Dennis Mahoney von der University of Vermont, und für die Ermutigung und Unterstützung bei dieser Neuausgabe an Gisela Zoch-Westphal, Constanze Chory vom Deutschen Taschenbuchverlag,

which is clearly more acceptable in poetry than in prose. Just as with the translations from 2010, my main goal is to give English-speaking readers a most complete experience of what Kaléko wanted to convey; nothing is added, nothing is taken away.

As another difference from the first edition, every poem now comes with the year of its first publication or its likely creation based on most recent research; poems found without a date in Kaléko's literary remains are noted as such accordingly ("lit.rem., N.D."). A list with exact sources, as prescribed for the first edition by the copyright-holders, is now provided in the appendix. New is the information where a poem can be found in the first volume of *Mascha Kaléko: Sämtliche Werke und Briefe* (Deutscher Taschenbuch Verlag, 2012). Very obvious are the improvements in the artistic appearance of this new edition, for which I am very grateful to Marc Estrin and Donna Bister of Fomite Press. Changes in the inner workings compared to the first edition, including the new title which places the focus on the poet and not her experiences, as well as the inclusion of certain, new translations are based on clever suggestions by Marc and Donna.

Thank you also once again to my first readers Wolfgang Mieder and Dennis Mahoney from the University of Vermont, and for the encouragement and support my gratitude goes to Gisela Zoch-Westphal, Constanze Chory of Deutscher Taschenbuch Verlag, and to my wonderful wife Lisa. But mostly, many thanks to the readers of the first edition of these translations, whose interest and positive feedback resulted in the publication of this new and expanded edition.

Andreas Nolte   Summer 2016
Essex Junction, Vermont, USA
e-mail: runswiftly@gmail.com

und an meine wunderbare Frau Lisa. Vor allem aber sei Dank gesagt den Lesern der ersten Ausgabe dieser Übersetzungen, durch deren anhaltendes Interesse und positives Echo es nun zur Herausgabe dieser erweiterten Neuauflage kommen konnte.

Andreas Nolte   Sommer 2016
Essex Junction, Vermont, USA
e-mail: runswiftly@gmail.com

"No matter where I travel,
I come to Nowhereland"

The Poetry of Mascha Kaléko

Translated and Introduced
by Andreas Nolte

Cover of first edition translations (2010)

Vorwort (2010)

Es ist jetzt 80 Jahre her, seit die deutsche Zeitschrift *Der Querschnitt* 1929 zwei Gedichte der bis dahin unbekannten Dichterin Mascha Kaléko gedruckt hat. Ganz im Berliner Dialekt geschrieben, fanden ihre Texte sofort Anklang bei Lesern und Verlegern, und von Anfang 1930 bis Ende 1932 erschienen Gedichte von Kaléko regelmäßig und mit großem Erfolg in bedeutenden Tageszeitungen und Zeitschriften Berlins und anderen deutschen Städten. Das Erscheinen ihres ersten Buches 1933 – von ihren Lesern lang erwartet und überfällig – fiel genau in die Zeit der Machtergreifung Adolf Hitlers. Fast augenblicklich erschienen weniger ihrer Gedichte in Tageszeitungen, nur ein einziges weiteres Buch wurde gegen Ende 1934 veröffentlicht, und ein Jahr später wurde Kaléko aus der Reichsschrifttumskammer ausgeschlossen. Im Jahr 1937 wurde dann die Verbreitung ihrer Bücher verboten, und im Oktober 1938 ging die Dichterin mit ihrer Familie ins Exil nach Amerika. Ein weiteres Exil in Jerusalem folgte dann 20 Jahre später, und sie kehrte nie wieder nach Deutschland zurück, um dort zu leben.

Hier nun könnte die Geschichte der Dichterin Mascha Kaléko enden, wären da nicht drei wichtige Gründe warum dies nicht der Fall war. Zuallererst sind da die Gedichte selber. Deren Schönheit, Bedeutung und Zeitlosigkeit überstanden nicht nur die Nazi-Jahre, sondern auch viele andere Hindernisse nach Ende des Krieges. Zusätzlich ist da die Tatsache, dass die Dichterin selbst niemals aufgegeben hat und weiterschrieb trotz vieler Schwierigkeiten – persönlicher Art, politischer Art und irgendwo dazwischenliegend. Ihr problembeladenes Leben und die besondere Situation, immer als Außenseiter nach einem Platz der Zugehörigkeit suchen zu müssen, führte zu neuer Kreativität und resultierte in weiteren Gedichten.

Auf einer Konferenz zu Ehren des 100. Geburtstags im Juni 2007 in New York City wurden ihre Dichtung und ihr Leben aus mehreren Blickwinkeln betrachtet. In diesem kleinen Zusammentreffen von

Foreword (2010)

It is now eighty years ago that the German magazine *Der Querschnitt* printed two poems in 1929 by an unknown author named Mascha Kaléko. Written entirely in the Berlin dialect, the poems captured the interest of readers and publishers alike and from early 1930 through the end of 1932 poetry written by Kaléko appeared regularly and with great success in major newspapers and magazines in Berlin and other German cities. The publication of her first book in January 1933 – long awaited and overdue – coincided with the rise of Adolf Hitler to power. Almost immediately, fewer of her poems appeared in newspapers, just one more book was published in late 1934, and a year later Kaléko was excluded from the State's Literary Guild. In 1937, the distribution of her works was prohibited, and in October 1938 the poet and her family went into exile to the United States. Another exile in Jerusalem followed twenty years later and she never returned to live in Germany.

It is here where the story of the poet Mascha Kaléko could end, were there not three major reasons why this did not happen. First of all, there were the poems themselves. Their beauty, significance, and timelessness survived not only the Nazi-years, but also many hindrances after the war had ended. Then, there is the fact that the poet herself never gave up and kept writing despite many challenges – personal, political, or somewhere in between. In fact, her troublesome life, always being an outsider looking for a place to belong, initiated new creativity and resulted in more poems.

At a conference held in June 2007 in New York City to celebrate what would have been the poet's 100th birthday, her poetry and her life were revisited from many angles. In that small gathering of people whose lives were touched, and in some cases transformed by Kaléko's poetry, it was mentioned again how unfortunate it is that not more people know about the poet and her work. While the public interest in Germany was finally on the rise again, non-German speakers could

Menschen, deren Leben berührt worden war, und in einigen Fällen sogar verwandelt durch Kalékos Poesie, wurde wieder einmal erwähnt, wie bedauerlich es sei, dass es nicht mehr Menschen gäbe, die über die Dichterin und ihr Werk Bescheid wüssten. Während das öffentliche Interesse in Deutschland damals endlich wieder am Wachsen war, konnten nicht Deutsch Sprechende weiterhin kaum Informationen über ihr dramatisches Leben bekommen, oder die Schönheit und Bedeutung ihrer Verse schätzen lernen.

Achtzig Jahre nachdem Kalékos erste Gedichte in Deutschland erschienen waren, ist es daher an der Zeit, einem Englisch sprechenden Publikum einige ihrer Arbeiten vorzustellen und Einblicke in ihr Leben zu geben. Durch die folgenden Übersetzungen und die kurzen biografischen Einführungen werden die Leser eine junge jüdische Schriftstellerin kennenlernen, die inmitten vielversprechender Erfolge, aber gleichzeitig bedrohlicher politischer Umstände aus Deutschland fliehen musste, dann die im Exil in New York und Jerusalem lebende Mutter und Ehefrau, und schließlich die einsame und mehr oder minder vergessene Dichterin, weiterhin auf der Suche nach einer geografischen und emotionalen Heimat.

Einige der folgenden Übersetzungen sind mit Hilfe von wunderbaren Menschen entstanden, die frühe Versuche von mir gelesen haben und mir wertvolle Anregungen gaben. Meine ersten Leser waren Dennis Mahoney und Wolfgang Mieder von der Abteilung Deutsch und Russisch an der Universität von Vermont (UVM), weil ich frühzeitig in meinen Übersetzungsversuchen sicherstellen wollte, dass meine Arbeit der Prüfung professionell kritischer Augen standhalten würde. Nach ihrer Durchsicht wagte ich es dann, Freunde zu fragen, ob sie einige der Übersetzungen lesen und mir dazu ihre Meinung sagen würden. Meine Absicht war es, die Gedichte so originalgetreu wie möglich zu übersetzen, und dass sie trotzdem zu verstehen und zu schätzten wären – insbesondere von denen, die das deutsche Original nicht lesen konnten.

Danken möchte ich meinen Professoren und Freunden an der UVM, der Abteilung Deutsch und Russisch für die finanzielle Unterstützung, und meinem Sohn Oliver, der mir einige Gedichte laut

still not get much information about her dramatic life, or appreciate the beauty and significance of her verse.

Eighty years after Kaléko's first poems appeared in Germany, it is, therefore, time to offer here some of her work, and glimpses into her life, to the English-speaking public. Through the following translations and some short biographical introductions, the reader will get to know the young Jewish writer who had to flee Germany in the midst of promising success but threatening political circumstances, the mother and wife living in exile in New York and Jerusalem, and finally the lonely and largely forgotten poet still looking for a geographical and for an emotional home.

Some of the following translations have received help from a few wonderful people who have read early attempts of mine and provided valuable feedback. My first readers were Dennis Mahoney and Wolfgang Mieder of the Department of German and Russian at the University of Vermont (UVM), because I wanted to make sure early on in the process that what I was doing would pass the test of professionally critical eyes. After their review, I dared to ask a few friends to read some translations and let me know what they thought. My intent was to translate poems as close to the original as possible that would still be understood and appreciated – especially by those who are not able to read the German original.

I would like to thank my professors and friends at UVM, the Department of German and Russian for its generosity, and my son Oliver who read a few poems for me aloud and found the intended rhythm immediately. Thank you also to Rita and Casimir Danielski who provided valuable feedback, and to Lisa McLane and Jim Murphy with whom I read the translation of some poems while on lunch duty together at Essex High School during my internship last year. I have received inspiration and encouragement from these and other people, and I will be forever grateful. I would like to include Stephanie Bonanno here who would have been a valuable source of advice had she been given more time here on earth. She was a true inspiration of

vorlas und dabei den Rhythmus meistens sofort gefunden hat. Dank auch an Rita und Casimir Danielski, die mir wertvolle Hinweise gegeben haben, sowie Lisa McLane und Jim Murphy, mit denen ich während meines Praktikums an der Essex High School im vergangenen Jahr die Übersetzungen einiger Gedichte während unserer gemeinsamen „lunch duty" gelesen habe. Von diesen und anderen Menschen habe ich Inspiration und Ermutigung erhalten, und ich werde ewig dankbar sein. Ich möchte hier Stephanie Bonanno einschließen, die eine wertvolle Hilfsquelle für Ratschläge gewesen wäre, hätte sie mehr Zeit auf dieser Erde gehabt. Sie war eine wahre Inspiration von Mut und Stärke im Angesicht unvorstellbarer Hindernisse, und ihr hätte das Lesen von Kalékos Poesie auf Englisch sicherlich gefallen.

Aber wie anfangs erwähnt, sehe ich *drei* wichtige Gründe, warum die Geschichte der Dichterin nicht nach wenigen Jahren des literarischen Erfolgs in Berlin oder in den Jahren im Exil geendet hat. Dieser dritte Grund ist eine Person, die mit unermüdlicher und erfolgreicher Arbeit seit vier Jahrzehnten Kalékos Gedichte auf den Bücherregalen und in den Herzen und Köpfen der Menschen lebendig erhalten hat, und die dafür gesorgt hat, dass nicht nur die Worte der Dichterin, sondern auch ihr Schicksal als ein oft verbannter und endlos suchender Mensch niemals vergessen werden. Mit wahrer Bewunderung und in Dankbarkeit widme ich meine Übersetzungsarbeit und dieses Buch Frau Gisela Zoch-Westphal.

Andreas Nolte   Februar 2010
Jericho, Vermont, USA
e-mail: runswiftly@gmail.com

courage and strength in the face of unimaginable obstacles, and she would have enjoyed reading Kaléko's poetry in English.

But as mentioned earlier, I see *three* major reasons why the story of the poet did not end after a few short years of literary success in Berlin or during the years in exile. The third reason is a person who has worked tirelessly and successfully for four decades to keep Kaléko's poems present on the bookshelves and alive in the hearts and minds of people, and who has made sure that not only the words of the poet, but also her fate as an often exiled and endlessly searching human being will never be forgotten. It is with true admiration and gratitude that I dedicate my translating work and this book to Gisela Zoch-Westphal.

Andreas Nolte   February 2010
Jericho, Vermont, USA
e-mail: runswiftly@gmail.com

Einleitung

Ein Dichter, wenn er lebt,
hat nichts zu lachen.
Mit toten Dichtern läßt sich vieles machen.

(„Ein Dichter…")

Ich frage mich, ob Mascha Kaléko sich wohl hätte vorstellen können, was spätere Generationen mit ihrer Dichtung und ihrer Lebensgeschichte anstellen würden, nachdem sie Anfang 1975 gestorben war. Die längste Zeit, bis vor kurzem, war das Ergebnis ziemlich enttäuschend: weitgehend vergessen, viele ihrer Bücher nicht mehr im Druck und ihr Name in vielen literarischen Enzyklopädien nicht einmal erwähnt. Aber im Jahr 2007, einhundert Jahre nach ihrer Geburt, schenkte man ihr plötzlich wieder größere Aufmerksamkeit, und einige Kritiker in den deutschen Medien sprachen sogar von der „erfolgreichsten weiblichen Dichterin deutscher Sprache des 20. Jahrhunderts". Eine ausführliche, neue Biografie wurde veröffentlicht, es gab eine Vielzahl von Ausstellungen, Konzerten und Lesungen in ganz Deutschland, und sogar eine „Hier wohnte"-Tafel wurde an ihrem ehemaligen Wohnhaus in New York City angebracht. Mascha Kaléko war plötzlich wieder zu einem hellen und leuchtenden Stern am deutschen Literaturhimmel geworden.

An dieser Stelle „wieder" zu sagen ist mehr als gerechtfertigt, denn dies ist genau das, was Kaléko nach dem Erscheinen ihrer ersten Gedichte 1929 in Berlin gewesen war: ein aufsteigender Stern mit großer Anhängerschaft inmitten der deutschen Literatur-Prominenz, regelmäßigen Veröffentlichungen in Tageszeitungen, die Gedichte vertont und in Kabaretts von den bekanntesten Sänger/innen der Zeit vorgetragen, und Anfang 1933 sowie Ende 1934 dann die Herausgabe von zwei sehr erfolgreichen Gedichtbänden. Aber dann kamen die Nazis an die Macht und setzten all dem ein Ende. Kaléko wurde zunächst nicht

Introduction

A poet, as long as he lives,
Has not much to laugh about.
With dead poets, there's a lot allowed.

("A poet...")

I wonder if Mascha Kaléko could have imagined what later generations would do with her poetry and her life's story after she died in early 1975. For most of the time until very recently, the result is fairly disappointing: largely forgotten, many of her books out of print, and literary dictionaries typically not even mentioning her name. But in 2007, at the 100th anniversary of her birthday, there was a sudden burst of attention, with some critics in the German media even calling her "the most successful German-language female poet of the 20th century." A detailed new biography was published, a host of exhibitions, concerts, and readings were presented all over Germany, and even a "Here lived"-plaque was unveiled at her former apartment building in New York City. Mascha Kaléko had suddenly become a bright and shining star in German literature again.

To say "again" is more than justified because this is exactly what Kaléko had been after her first poems had appeared 1929 in Berlin: a rising star among the German literary elite with a large following, regular publications in daily newspapers, her poems set to music and performed in cabarets by the foremost entertainers of the time, and two very successful poetry books in early 1933 and late 1934. But then the Nazis came to power and put an end to all of this. Kaléko was not immediately recognized as a Jewish author, but eventually she too was banned and driven out of the country. The fame was gone, the linguistic home lost, the readers left behind, and the new star on the German literary firmament was dimmed.

als jüdische Schriftstellerin erkannt, aber schließlich ebenfalls geächtet und aus dem Land vertrieben. Der Ruhm war verschwunden, die sprachliche Heimat verloren, die Leser zurückgelassen, und der neue Stern am Firmament der deutschen Literatur war verdunkelt.

Verdunkelt, aber nicht erloschen. Durch alle Höhen und Tiefen, durch Zeiten des Erfolgs und Zeiten des Elends, nach drei Wohnsitzen im Exil ohne eine wirkliche Heimat, zwei schmerzhaften Todesfällen in ihrer Familie, einem abgelehnten Literaturpreis und angesichts eines veränderten poetischen Interesses in den späten 60er Jahren – durch alles, was geschah in diesen achtzig Jahren seit der ersten Veröffentlichung, war ihre Dichtung nie völlig vergessen. Die Wiederkehr von Kalékos Ruhm ist darum keine völlig unerwartete Entwicklung, sondern vielmehr eine wohlverdiente Wiederbelebung dessen, was durch Unwissenheit, Umstände und Zeit unterdrückt worden war.

Das Lesen der Gedichte Kalékos heutzutage kann dieselbe humorvolle oder melancholische Stimmung vermitteln wie damals, als sie geschrieben worden waren. Die Orte mögen nun andere sein, ebenso vielleicht die Menschen, und auf jeden Fall die Umstände, aber die Art und Weise, wie sie die menschlichen Mühsale und Errungenschaften beschreibt, kann immer noch tief in die Herzen und Köpfe der heutigen Leser hineinreichen. Ihre einfache Sprache, die universellen Themen, die wahren und glaubwürdigen Gefühle, sie passen in unsere Zeit genauso gut hinein wie in ihre damals und in jede Zeitperiode dazwischen. Dies macht Mascha Kaléko meiner Meinung nach zu einer klassischen Dichterin.

Einer der Gründe, warum Kalékos Gedichte nicht viel gelesen wurden – beispielsweise während ihrer fast vier Jahrzehnte im Exil – ist die Tatsache, dass es ihre Texte lediglich im deutschen Original gab. Ihre Anonymität wurde dadurch noch erhöht, dass die faszinierende Lebensgeschichte Kalékos nicht sonderlich bekannt ist, es sei denn, man spricht Deutsch und kann eine der drei Biografien oder die wenigen wissenschaftlichen Artikel lesen, die es immerhin gibt. Viele Menschen hatten einfach keinen Zugang zu ihren Gedichten oder die

Dimmed but not extinguished. Through all the ups and downs, times of success and times of struggle, three main residences of exile without a real home, two painful deaths in her family, one rejected literary award, a changed poetic interest in the late 1960s – through all what happened in these eighty years since the first publications appeared, her poetry was never completely forgotten. The return of Kaléko's fame is not an entirely unexpected development but rather a well-deserved revival of what was suppressed by ignorance, circumstance, and time.

Reading Kaléko's poetry today can convey the same humorous or melancholic mood it did when it was first written. The locations may have changed, perhaps the people, and definitely the circumstances, but the ways in which she describes human struggles and accomplishments can still reach deep into the hearts and minds of today's readers. Her simple language, the universal themes, the true and believable emotions, fit well into our time as they did into hers and anytime in between. This is what makes Mascha Kaléko, in my opinion, a classic poet.

One of the reasons why Kaléko's poetry was not read more widely – for example, during her many decades in exile – is that her texts existed in the original German only. What adds to her obscurity is that her life's intriguing story is not well known, unless one speaks German and can read one of the three biographies or the few scholarly articles that do exist. Too many people simply could not access her work or learn about the poet herself. This book is an attempt to change this: for the first time, there is now a translation of a significant number of poems from every period of Kaléko's life and a brief but comprehensive biographical account.

The poems that I have selected here are the ones that I consider among Mascha Kaléko's best and the most meaningful or important. Reading these in translation should offer a fairly comprehensive overview of the types of poetry and the subject matters that she was concerned with during her half a century of writing. Of the approximately

Möglichkeit, mehr über die Dichterin selber zu erfahren. Das vorliegende Buch ist nun der Versuch, dies zu ändern: zum ersten Mal gibt es Übersetzungen einer beträchtlichen Anzahl von Gedichten aus jeder Lebensperiode Kalékos sowie kurze, aber umfassende biografische Einführungen.

Die Gedichte, die ich hier ausgewählt habe, sind diejenigen, die ich für die besten Mascha Kalékos halte, bzw. für ihre bedeutsamsten oder wichtigsten. Die Lektüre dieser Übersetzungen bietet einen guten Überblick über die Arten ihrer Dichtung und die Themen, mit denen sie sich während eines halben Jahrhunderts des Schreibens befasst hat. Von den rund 600 Texten, die Kaléko veröffentlicht hat, kann hier nur eine kleine Auswahl vorgestellt werden. Dies lässt vieles übrig, das noch zu entdecken wäre durch weitere Übersetzungen, oder zu erzählen wäre von der Geschichte ihres Lebens.

Die folgenden Gedichte sind in 6 Kapitel unterteilt, die in chronologischer Reihenfolge aufeinander folgen. Kaléko hat ihre Texte in der Regel nicht datiert, aber mit Hilfe der Erscheinungsdaten ihrer frühen Bücher, sowie Inhalt und Struktur der späteren Texte, lässt sich der Zeitpunkt, an dem ein bestimmtes Gedicht höchstwahrscheinlich entstanden ist, einigermaßen gut festlegen. Jedes Kapitel beginnt mit der Strophe eines Gedichts aus der jeweiligen Phase, und darauf folgt dann eine kurze Einführung mit Informationen zu Zeit, Ort und Situation, in denen die nachfolgenden Gedichte geschrieben wurden. Die deutschen Originaltexte sind in der Regel aus späteren Ausgaben derjenigen Bücher zitiert, die noch im Buchhandel erhältlich sind.

Meine Übersetzungen folgen Kalékos Originaltext so genau wie möglich. Im Allgemeinen habe ich Zeile für Zeile übersetzt, den Inhalt grundsätzlich unverändert gelassen, und eine möglichst ähnliche Sprache und Syntax angestrebt. Außerdem habe ich ihr oft sehr strenges Metrum und den Rhythmus beibehalten, so gut ich konnte, bzw. soweit Unterschiede in den beiden Sprachen es zuließen. Kaléko hat die meisten ihrer Gedichte gereimt und ich habe dies dementsprechend in meinen Übersetzungen ebenfalls getan.

600 texts Kaléko has written, only a small selection can be presented here. This leaves a lot still to be discovered by additional translating work and by telling more of her life's story.

I have grouped the poems into 6 chapters following a chronological order. Kaléko did not typically date her work, but based on the publication dates of her early books, as well as content and format of the texts, it is often clear at what time a certain poem most likely originated. Each chapter will start with the stanza of a poem from the period; this is followed by a brief introduction in order to provide background information on time, place, and situation in which the subsequent poems were written. The German poems are generally quoted here from later editions of published books that are still available in bookstores.

My translations follow Kaléko's original text as closely as possible. In general, I have translated line by line, keeping the content basically unchanged, trying to use similar language and syntax, and maintaining her often very strict meter and rhythm as best I could, or as far as differences in the two languages allow. Kaléko has rhymed most of her poems and I have done so accordingly in my translations.

A good poem is defined by more than the visible sum of its words. Beyond the more obvious verse meter or rhyming scheme – including internal rhyming and alliterations –, Kaléko has written poems in which a particular word is of great importance, even a first letter is meaningful, or a certain first and/or last word of the poem has significance. Some of this can simply not be reproduced in translation without changing the content significantly, but I have attempted to keep many of these poetic patterns intact.

In order to stay as close to the original as possible, I have decided, on occasion, to make minimal adjustments. For example, I have changed nouns from singular to plural, and vice versa, or added or omitted a syllable. This often allowed me to use a more appropriate or meaningful term rather than forcing a particular word into the given "space." The sentence structure had to be changed in many instances following the different syntax and grammar rules of the

Ein gutes Gedicht wird durch mehr bestimmt, als durch die sichtbare Summe seiner Wörter. Außer des offensichtlichen Versmaßes oder des Reimschemas – einschließlich interner Reime und Alliterationen – hat Kaléko Gedichte geschrieben, in denen ein bestimmtes Wort große Bedeutung hat, ein erster Buchstabe wichtig ist, oder einem bestimmten ersten oder letzten Wort im Gedicht große Geltung zukommt. Manches davon lässt sich in einer Übersetzung nicht nachvollziehen ohne den Inhalt deutlich zu verändern, aber ich habe versucht, viele dieser poetischen Muster aufrecht zu erhalten.

Um dem Original so nahe wie möglich bleiben zu können, habe ich mich in wenigen Ausnahmefällen dazu entschlossen, minimale Anpassungen vorzunehmen. Ich habe z. B. Substantive vom Singular ins Plural verändert, oder umgekehrt, und hier und da den Vers um eine Silbe verlängert oder gekürzt. Dies erlaubte mir die Verwendung eines geeigneteren oder sinnvolleren Begriffs, statt ein bestimmtes Wort in den vorgegebenen „Raum" zwängen zu müssen. Der Satzbau musste in vielen Fällen wegen der unterschiedlichen Syntax oder der Grammatikregeln in den beiden Sprachen geändert werden, aber auch hier habe ich versucht, so nahe wie möglich an der ursprünglichen deutschen Formulierung zu bleiben. Meine Übersetzungen stellen den besten Kompromiss dar dessen ich fähig bin zwischen einer groben Umsetzung des deutschen Originals Wort für Wort und dem Ziel, englische Gedichte zu erstellen, die Sinn machen und richtig klingen.

Sollte der englischsprachige Leser bestimmte Passagen als zu schmucklos oder „ungewöhnlich" empfinden in ihrer Verwendung von Wörtern oder in der Grammatik, möchte ich betonen, dass gerade diese sprachliche Besonderheit oft eine Funktion ist, die Kaléko absichtlich in ihrer originalen deutschen Version verwendet hat. Ich hoffe, Leser werden feststellen können, dass die Übersetzungen in den meisten Fällen „funktionieren" und nicht allzu gezwungen erscheinen im Gebrauch von Wörtern, in der Ausdrucksweise oder in der Grammatik. Und am Wichtigsten: dass sie die künstlerische Unkompliziertheit, die universelle Verständlichkeit und die emotionale Aufrichtigkeit bewah-

two languages, but even here I have tried to stay close to the original German wording. My translations represent the best compromise I am capable of between crudely converting the German original word for word and creating an English poem that makes sense and sounds right.

If the English-speaking reader should find certain passages too simplistic or "unusual" in their uses of words or grammar, I would like to emphasize that this very linguistic peculiarity is often a feature that Kaléko had intentionally used in her German original as well. I hope that readers will find that these translations "work" for the most part and not sound too forced in their use of words, expressions, or grammar. And most importantly: that they maintain the artistic simplicity, universal comprehensibility, and overall emotional sincerity that Kaléko had intended. I hope that these translations do justice to the poet and her work.

The goal for these translations is, then, to give English speaking readers – especially those who cannot read the original text in German – the entire content, a most similar language, the same meter (usually iambic, some trochaic verse), much of the mood and feeling between the lines, the rhythm, and always a rhyme, if that was part of the original. Therefore, the following translations are not loose depictions of Kaléko's poems or attempts to reproduce them in prose – this has been done on a small scale by other translators with varying success –, but intentionally as close and true to the original as I could manage.

I believe that even those readers, who have not lived in Berlin of the 1930s on the brink of disaster, or as an exile in New York in the 1940s or in Israel in the 1960s, can appreciate the poetry of Mascha Kaléko. Those who had similar experiences may find some of their personal feelings and observations accurately depicted; others will have an opportunity to be transported to a historically relevant place and learn about life and strife in those times and locales. What helps building the bridge between the past and our generally vastly

ren, die Kaléko beabsichtigt hatte. Ich hoffe, dass diese Übersetzungen der Dichterin und ihrem Werk gerecht werden.

Das Ziel dieser Übersetzungen ist es, den englischsprachigen Lesern – insbesondere denjenigen, die den ursprünglichen Text auf Deutsch nicht lesen können – den ganzen Inhalt, eine möglichst ähnliche Sprache, dasselbe Versmaß (in der Regel jambische sowie einige trochäische Verse), viel von der Stimmung und dem Gefühl zwischen den Zeilen, den Rhythmus und immer einen Reim zu geben, wenn es diesen im Original gab. Aus diesen Gründen sind die nachfolgenden Übersetzungen nicht ungefähre Wiedergaben der Gedichte Kalékos oder etwa Versuche in Prosa – dies wurde in kleinem Umfang von anderen Übersetzern mit wechselndem Erfolg getan –, sondern Übertragungen, die sich absichtlich so nahe und aufrichtig, wie es mir möglich war, an den originalen Text anlehnen.

Ich glaube, dass auch diejenigen Leser, die nicht im Berlin der 30er Jahre am Rande der Katastrophe, oder als Exilanten in New York in den 40er Jahren, oder in Israel in den 60er Jahren gelebt haben, die Poesie von Mascha Kaléko schätzen werden können. Wer ähnliche Erfahrungen gehabt hat, wird hier einige seiner persönlichen Gefühle und Beobachtungen präzise abgebildet finden; andere Leser haben die Möglichkeit, zu einem historisch relevanten Platz transportiert zu werden und über das Leben und die Probleme in jenen Zeiten und an jenen Orten zu lernen. Was dabei hilft, die Brücke zwischen der Vergangenheit und der in der Regel völlig anderen Welt von heute zu bauen, sind vor allem die wahren, tiefen und ungekünstelten Gefühle, die Kaléko so wunderbar darstellen konnte. Das ist der Grund, warum ihre Dichtung heute noch gültig ist und warum es sich lohnt, sie zu lesen und zu erforschen.

Kaléko war der Meinung, dass das, was in einem Menschen vorgeht – ob es nun eine literarische Person ist oder der Autor selbst – sehr ähnlich sein mag zu dem, was in anderen Menschen vor sich geht, und dies ist es, was sie den Lesern ihrer Gedichte zu vermitteln versucht hat. Ihre Gedichte mögen manchmal als Ausweg für sich selber verfasst worden sein, aber sie wurden hauptsächlich geschrieben

different world today more than anything are the true, deep, and unfeigned emotions that Kaléko was able to portray so beautifully. This is why her poetry is still valid today and why it is more than worthwhile reading and exploring.

Kaléko believed that what happens within an individual – whether it is a literary persona or the author herself – may be very similar to what is going on within other people, and this is what she tried to convey to her readers in her poems. These may have functioned as an outlet for herself at times, but they were mainly written as enlightenment and encouragement for others of her own generation and for generations still to come. This includes us. I think if we read and listen carefully, we can learn something here.

Mascha Kaléko's poetry has suffered many extended periods of obscurity over the past eighty years since her first texts appeared in German magazines and newspapers in late 1929. I hope that this new attempt to open up her poetry and her life's story to an English-speaking audience will improve the chances that this will not happen again.

zur Ermunterung und Ermutigung anderer Menschen ihrer eigenen Generation und für Generationen, die noch kommen würden. Dazu gehören wir. Ich denke, wenn wir genau lesen und gut hinhören, werden wir hier etwas lernen können.

Mascha Kalékos Dichtung hat viele längere Phasen der Anonymität in den letzten achtzig Jahren durchlitten, seit ihre ersten Texte Ende 1929 in Zeitschriften und Zeitungen erschienen waren. Ich hoffe, dass dieser neue Versuch, ihre Lyrik und ihre Lebensgeschichte einem Englisch sprechenden Publikum zugänglich zu machen, die Chancen verbessert, dass dieses nicht wieder passieren wird.

Example of how Kaléko's poems appeared in newspapers (1930)

1. Kapitel

„Alle unsre blassen Tage / Türmen sich in stiller Nacht"
Die frühen Jahre und erste Erfolge als Dichterin

Ich sitz in meinem Stammcafé.
Es ist schon spät. Ich gähne...
Ich habe Sehnsucht nach René
Und außerdem Migräne.

(Auszug aus: „Angebrochener Abend")

Mascha Kaléko wurde am 7. Juni 1907 als Golda Malka Aufen in Chrzanów (West-Galizien, heute Polen) geboren. Ihre österreichische Mutter Rozalia Chaja Reisel Aufen (1883-1975) und ihr russischer Vater Fischel Engel (1884-1956) waren zwar nach jüdischen Regeln verheiratet, aber nicht rechtlich. Mascha und ihre jüngere Schwester Lea (1909-1992) galten als unehelich. Über ihre Kindheit ist nicht viel bekannt, aber es ist anzunehmen, dass es der Familie finanziell besser ging als vielen anderen im Dreiländereck zwischen Russland, Österreich und Preußen, und dass sie ein relativ privilegiertes Dasein geführt haben. Das Leben als Juden war nicht immer einfach, und Pogrome stellten eine reale und wachsende Bedrohung dar. 1914 verließ die Familie diese unsichere Umgebung und zog in den Westen, wo der Vater während des Krieges als Russe inhaftiert wurde. Nach zwei Jahren in Frankfurt am Main, wo Mascha die Volksschule besuchte, zog die Mutter mit ihren beiden Töchtern nach Marburg an der Lahn, bevor sie sich 1918 gegen Ende des Krieges in Berlin niederließen.

Das Leben im Westen war nicht leicht für Juden aus dem Osten. Mascha lernte früh ihre Herkunft zu verschweigen und „Zuhause" war für sie ein flüchtiges Ideal. Ihre Eltern heirateten 1922 in einer standesamtlichen Trauung, um den „Makel" der Illegitimität zu löschen. Mascha besuchte eine jüdische Mädchenschule; sie war eine sehr gute Schülerin und zeigte ein besonderes Interesse am Schreiben. Während dieser Zeit entstanden ihre ersten Gedichte. Nach dem Schulabschluss Ende 1923

Chapter 1

"All of our ashen days / Pile up ev'ry quiet night"
Early life and first success as a poet

I'm sitting in my old café,
I yawn. It's almost daybreak…
I have a yearning for René
And also a strong headache.

(excerpt from: "Burst of Evening")

Mascha Kaléko was born on June 7, 1907 in Chrzanów, West-Galicia (now Poland), as Golda Malka Aufen. Her Austrian mother, Rozalia Chaja Reisel Aufen (1883-1975), and her Russian father, Fischel Engel (1884-1956), were married by Jewish law but not legally. Mascha and her younger sister Lea (1909-1992) were considered illegitimate. Not much is known about her childhood, but it seems that her family was financially better off than many in this region between Russia, Austria and Prussia and that they led a relatively privileged existence. But life in the Jewish community was not always easy, and pogroms were a real and growing threat. In 1914, the family left this uncertain environment and moved to the west where the father was soon detained as a Russian citizen during the war. After two years in Frankfurt/Main, where Mascha went to Grammar School, the mother and her two daughters moved to Marburg/Lahn before settling in Berlin in 1918 around the end of the war.

Life in the west for Jews from the east was not easy. Mascha learned early on to keep quiet about where she was born and that "home" was a fleeting ideal. Her parents married in 1922 in a civil ceremony in order to erase the "blemish" of illegitimacy. Mascha attended a Jewish girls' school; she was a very good student and showed a particular interest in writing. During this time, she wrote her first poems. She graduated in late 1923 and started an apprenticeship program as an office administrator in a Jewish welfare agency the following year. After this was

begann sie im folgenden Jahr eine Bürolehre beim Arbeiterfürsorgeamt der jüdischen Organisationen Deutschlands. Nachdem sie diese abgeschlossen hatte, begann die achtzehnjährige als Sekretärin bei derselben Institution.

Diese Berufswahl mag zunächst aus praktischen und finanziellen Überlegungen getroffen worden sein, weil das niedrige aber regelmäßige Einkommen ihr ein gewisses Maß an Unabhängigkeit von ihrer Familie erlaubte. Die Beziehung zur Mutter und zu ihren drei Geschwistern – die Schwester Rachel wurde 1920 geboren und der Bruder Chaim 1924 – war angespannt und die junge Frau sehnte sich danach, ihr eigenes Leben führen zu können. Die Arbeit in einem Büro mit Kollegen gab ihr aber außerdem wertvolle Einblicke aus erster Hand in den typischen Achtstundentag, den sie bald in ihrer Dichtung so detailliert und mit bewunderter Genauigkeit darzustellen in der Lage war. Die Tatsache, dass sie zur gleichen Zeit Abendkurse in Psychologie und Philosophie an zwei Berliner Universitäten besuchte, zeigt ihr starkes Interesse an der menschlichen Natur und ihren Wissensdurst. In dem akademischen Umfeld lernte sie höchstwahrscheinlich den um einiges älteren Philologen Saul Kaléko kennen, den sie 1928 heiratete.

Zwei Gedichte, die sie während dieser Zeit schrieb, erschienen Ende 1929 in der Zeitschrift *Der Querschnitt*. In typisch Berliner Mundart geschrieben, hatten sie sofortigen Erfolg und in den folgenden drei Jahren bis Ende 1932 erschienen Gedichte von Mascha Kaléko regelmäßig in verschiedenen Zeitungen und Zeitschriften, vor allem in Berlin. Mit pfiffigem Gassenwissen und einem klaren Verständnis für die Bedürfnisse und Träume der Menschen geschrieben – das war ein wenig überraschend für jemanden so jung wie sie –, berichtete Kaléko über den kleinen Angestellten, der versucht mit einem geringen Einkommen seinen Lebensunterhalt zu bestreiten, über das Glück und den Schmerz des Verliebtseins, die Einsamkeit und die Angst des einzelnen Menschen in der anonymen Großstadt, die sehr notwendige Flucht vor Asphalt, Gestank und Lärm am Wochenende, und die ständige Sehnsucht nach einem besseren Leben, einem besseren Partner, einem besseren was auch immer.

completed, the eighteen-year-old young woman took a secretarial job in that same agency.

This career choice may have been initially based on practical and financial considerations since the small but steady income allowed her some degree of independence from her family. The relationship with her mother and her three siblings – sister Rachel was born in 1920 and brother Chaim in 1924 – was somewhat strained and the young woman longed to lead her own life. Working in an office environment alongside other people gave her valuable first-hand insight into the average person's eight-hour workday that she would soon be able to depict in her poetry with much detail and admired precision. The fact that, at the same time, she attended evening classes in psychology and philosophy at two Berlin universities shows her deep interest in human nature and her thirst for knowledge. In the academic setting she most likely met the somewhat older linguist and scholar Saul Kaléko, whom she married in 1928.

Two of the poems she was writing during this time appeared in late 1929 in the magazine *Der Querschnitt*. Both written in typical Berlin dialect, they found immediate success, and for the next three years, until late 1932, Mascha Kaléko's poems appeared regularly in various newspapers and magazines, especially in Berlin. Full of street-smart wisdom and a clear understanding of people's needs and dreams – this was a little surprising coming from someone as young as she was –, Kaléko wrote about the low-level employee just trying to make ends meet, the joy and pain of falling into and out of love, the loneliness and anxiety of single people in the anonymous metropolitan city, the much needed escape from asphalt, smell and noise on weekends, and the constant longing for a better life, a better partner, a better everything.

One particular ingredient that makes her early poems so appealing, back then and now, is a unique mixture of melancholy and humor. She conveys just enough heartache to make the reader pause for a brief moment to sigh – perhaps knowingly – but then, just a few lines later, she initiates a sudden turn to irony or even cynicism. Very often she

Ein besonderer Bestandteil, der ihre frühen Gedichte so anziehend macht, damals und heute noch genauso, ist die einzigartige Mischung aus Melancholie und Humor. Kaléko vermittelt gerade genug Kummer, um den Leser für einen kurzen Moment anhalten zu lassen, um – vielleicht verständnisvoll – aufzuseufzen, aber dann, nur wenige Zeilen danach, kommt es zu einer plötzlichen Wendung mithilfe von Ironie oder gar Zynismus. Sehr oft lässt sie die dunklen Wolken, die über einigen ihrer Gedichte drohen, mit einer unerwarteten Veränderung der Perspektive oder der sprachlichen Ausdrucksweise verschwinden, und lässt den Leser lächelnd und glücklicher zurück, und oft mit dem Gefühl, das diese Dichterin ihn wirklich versteht. Tiefe und echte Gefühle, humorvolle Bemerkungen, sowie glaubwürdige Situationen und Personen – all dies macht viele von Kalékos Gedichten so einzigartig befriedigend und unvergesslich.

Eine weitere Stärke ihrer Dichtung liegt in ihrer Schlichtheit: sie ist sehr lesbar, leicht verständlich und gut zu merken. Die meisten ihrer frühen Leser waren Berliner, die zur oder von der Arbeit nach Hause hetzten, für sich alleine oder für ihre Familien den Lebensunterhalt zu verdienen versuchten, tief verliebt seit ein paar Tagen oder seit kurzem wieder einmal mit gebrochenem Herzen unterwegs, immer daran denkend, dass es doch einfach etwas Besseres – oder einen Besseren – geben müsste dort draußen unter den Millionen von Menschen und Möglichkeiten. Sich mit einer Hand festhaltend in der schwankenden Straßenbahn auf dem morgendlichen Weg zur Arbeit, oder auf dem Heimweg in der Schlange an der Kasse im Kaufhaus wartend, bis man endlich die paar Dinge bezahlte, die man sich leisten konnte fürs Abendbrot: die Menschen lasen und erfreuten sich an Kalékos Gedichten, die oft strategisch zwischen Nachrichten und Werbung in den Tageszeitungen eingebettet waren.

Die Leser von Kalékos Gedichten fanden viele ihrer eigenen Hoffnungen und Träume dort nicht nur genau abgebildet, die Texte wurden zudem in der Sprache der Leser präsentiert, mit Wörtern und Phrasen, die sie selber im Alltag verwenden würden. Manche Kritiker haben, damals und heute noch genauso, Kalékos Gedichte oft als „Gebrauchsliteratur" abgetan, als literarische Texte, die zu trivial seien,

makes the dark clouds looming over some of her poems disappear with an unexpected change in perspective or diction and, in the end, leaves the reader smiling, happier, and often with a feeling that this poet truly understands. Deep and true emotions, humorous remarks, as well as believable settings and characters – all this makes many of Kaléko's poems so uniquely satisfying and memorable.

The other strength of her poetry lies in its simplicity: it is easy to read, easy to understand, and easy to remember. Most of her early readers were Berliners rushing to or from work, trying to make a living for just themselves or for their families, deeply in love for a few days now or recently heartbroken again, always believing that there simply must be something – or someone – better out there among the millions of people and opportunities. Holding on with one hand in the rattling streetcar on their way to work in the morning, or standing in line at the grocery store waiting to pay for the few items they could afford to buy for dinner on the way home, people read and enjoyed Kaléko's poems placed strategically between news and advertising in the daily newspapers.

Kaléko's readers not only found many of their own hopes and dreams accurately depicted, the poems were also presented in the readers' own language, employing words and phrases they would use themselves in everyday life. Critics, then and now, have often dismissed Kaléko's poems as "Gebrauchsliteratur," as literary texts too trivial and simple to be considered important literature in the tradition of the "great" German poets. But for most people, also then and now, this is exactly the kind of poetry that they truly enjoy reading because it directly speaks about them, and straight to them, and in a way that they can understand everything with their heads and with their hearts. Nothing is hidden or needs to be interpreted with effort, all is there in plain sight and accessible without delay. In 1930s Berlin, many of Kaléko's poems helped readers understand their own lives a little bit better and showed them that their very personal experiences – more often hardships than happiness – were not much different from those

um als bedeutende Literatur in der Tradition der „großen" deutschen Dichter gelten zu können. Aber für die meisten Menschen, ebenfalls damals genauso wie heute, war dies genau die Art von Dichtung, die sie wirklich gerne lasen, weil diese direkt über sie sprach, und unmittelbar zu ihnen, und in einer Weise, dass man alles verstehen konnte mit dem Kopf und mit dem Herzen. Nichts wird hier versteckt oder braucht eine Anstrengung um verstanden zu werden; alles steht deutlich da und ist sofort zugänglich. Im Berlin der 30er Jahre halfen viele Gedichte Kalékos den Lesern ihr eigenes Leben ein bisschen besser zu verstehen, und sie zeigten ihnen, dass ihre sehr persönlichen Erfahrungen – das war in der Regel öfter Mühsal als Glück – nicht so sehr andersartig waren, als das, was die Mitmenschen durchmachen mussten. Kalékos Texte waren gespickt mit universellen Themen, die jeden betreffen konnten: Liebe, Einsamkeit, finanzielle Schwierigkeiten oder Angst; aber viele enthielten ebenso Ratschläge für den Umgang mit Kummer und Sorgen, und wie diesen zu entkommen sei – und wenn auch nur für kurze Augenblicke – bis das Leben dann in seiner nicht immer fairen Art und Weise weiterging. Also, ja, dieses waren Gedichte, die die Menschen „gebrauchen" konnten, aber eben in einem positiven Sinn: Verse, die halfen, das eigene Leben ein bisschen besser meistern zu können.

Humor, Verständlichkeit, Ehrlichkeit und universelle Themen machten Kalékos frühe Veröffentlichungen zu einem sofortigen Erfolg. Dass ihre Dichtung von den Menschen geliebt würde – es heißt, dass ihre Gedichte unter Lesern auf maschinengeschriebenen oder sogar auf handschriftlichen Blättern weitergereicht wurden nachdem ihre Bücher verboten worden waren –, aber von sogenannten Experten kritisiert, hat die Dichterin sarkastisch in dem später entstandenen Gedicht „Kein Neutöner" angesprochen:

> Ich singe, wie der Vogel singt
> beziehungsweise sänge,
> lebt er wie ich, vom Lärm umringt,
> ein Fremder in der Menge.

of other people. Kaléko's texts were full of universal themes anyone could relate to: love, loneliness, financial problems, or fear; but many also offered advice on how to deal with heartaches and worries and how to escape – and if only for the shortest of moments – until life continued in its not always fair ways. So, yes, it was poetry that people could "use," but in a good way: poetry that helped to master one's own life a little bit better.

Humor, simplicity, honesty, and universal themes made Kaléko's early publications an immediate success. That her poetry would be loved by the people – it is said that her poems were handed from person to person on typed or even handwritten pages after her books were outlawed –, but criticized by so-called experts, is something the poet herself addressed sarcastically in a later poem called "Kein Neutöner" ("Not a Newphonic"):

> I sing just like the songbird sings,
> respectively would shout,
> lived he, like me, where noise loud rings,
> A stranger in the crowd.
>
> Am not a part of any school
> no new trend I belong,
> am just a poor big-city bird
> this branch of German song.
>
> God knows, I am behind the times,
> I'm full of shame and should:
> It's true, one reads and likes my rhymes,
> But they are – understood!

It is important to note that Kaléko was one of the very few female voices in the German literary field of her time. Even though many of her poems deliberately kept the gender of the lyrical persona indistinct, and some texts were even written from the perspective of a man, her poetry in general was from a female point of view and, as such,

Gehöre keiner Schule an
und keiner neuen Richtung,
bin nur ein armer Großstadtspatz
im Wald der deutschen Dichtung.

Weiß Gott, ich bin ganz unmodern.
Ich schäme mich zuschanden:
Zwar liest man meine Verse gern,
doch werden sie – verstanden!

Es ist wichtig zu betonen, dass Kaléko eine der ganz wenigen weiblichen Stimmen in der deutschen Literatur der Zeit war. Obwohl in manchen ihrer Gedichte das Geschlecht des lyrischen Ichs bewusst nicht deutlich gemacht wurde, und einige Texte sogar aus der Sicht eines Mannes geschrieben waren, sprachen ihre Gedichte in der Regel vom Standpunkt der Frau aus, und sie waren damit ein Gegenpol zu denen ihrer bekannteren und erfolgreicheren männlichen Zeitgenossen wie Kurt Tucholsky, Erich Kästner, Joachim Ringelnatz oder Walter Mehring, mit denen sie oft verglichen wurde.

Die Politik der Zeit trat nur selten in Erscheinung in Kalékos frühen Gedichten. Ihre Texte, wenn sie in Zeitungen erschienen, fungierten oft als sehr notwendige Ablenkung von den zumeist deprimierenden politischen und wirtschaftlichen Nachrichten. Im Jahr 1932 waren in Preußen und seiner Hauptstadt Berlin ungefähr 3 Millionen Menschen arbeitslos und viele Anzeichen deuteten auf eine noch düsterere Zukunft hin. Kalékos Gedichte erinnerten ihre Leser an die wichtigen Kleinigkeiten des Lebens, auf die sie selber noch einen Einfluss haben konnten. Die Texte halfen den Lesern die größeren drohenden Gefahren zu vergessen, die außerhalb der Kontrolle für den Einzelnen standen und sehr bald dann auch für das gesamte Volk. Ihre Gedichte im Allgemeinen – auch dies im Gegensatz zu einigen der männlichen Dichter der Zeit, mit denen Sie regelmäßig zusammentraf – waren nicht als politische Erklärung gedacht, sondern vielmehr als eine menschliche.

in contrast to her better-known and successful male contemporaries, such as Kurt Tucholsky, Erich Kästner, Joachim Ringelnatz, or Walter Mehring, all of whom she was often compared to.

Politics entered only rarely into Kaléko's early poems. Her texts, when they appeared in newspapers, often functioned as much needed distraction from otherwise mostly depressing political and economic news. In 1932, the state of Prussia, with Berlin as its capital, had about three million unemployed people, and many signs pointed to even darker times ahead. Kaléko's poetry reminded her readers of the important little things in life, many of which they could still influence themselves. Her poems helped readers to forget the larger dangers looming ahead that seemed beyond control for the individual and soon for an entire nation. Her poetry in general – this, as well, is in contrast to some of the male poets she socialized with regularly – was not meant as a political statement, but mainly as a human one.

In January of 1933, the very month that marked the beginning of the end for any remaining normality in German life with Hitler's rise to power, Mascha Kaléko's first volume of collected poems appeared. *Das lyrische Stenogrammheft. Verse vom Alltag* ("The Lyrical Notebook in Shorthand. Poems of the everyday") quickly sold out. By the time the 4th edition was published as late as 1936, about 10,000 copies had been purchased, which was – and would also be by today's standards – an unusually high number for a poetry book.

The following translations are all based on poems included in Mascha Kaléko's first book.

Im Januar 1933, also in genau dem Monat, in dem mit Hitlers Machtergreifung der Anfang vom Ende für alle verbliebene Normalität des Lebens in Deutschland markiert wurde, erschien Mascha Kalékos erster Band mit gesammelten Gedichten. *Das Lyrische Stenogrammheft. Verse vom Alltag* war schnell vergriffen. Als 1936 noch eine 4. Auflage herausgegeben wurde, waren etwa 10.000 Exemplare verkauft worden, was damals – und dies wäre selbst nach heutigen Maßstäben noch der Fall – eine ungewöhnlich hohe Auflage für einen Gedichtband bedeutete.

Die nachfolgenden Übersetzungen basieren alle auf Gedichten, die in Mascha Kalékos erstem Buch enthalten sind.

Cover of *Das lyrische Stenogrammheft,*
published in January 1933 by Rowohlt Verlag

Frühling über Berlin

Sonne klebt wie festgekittet.
Bäume tun, als ob sie blühn.
Und der blaue Himmel schüttet
Eine Handvoll Wolken hin.

Großstadtqualm statt Maiendüfte.
– Frühling über Groß-Berlin! –
Süße, wohlbekannte Düfte…
Stammen höchstens von Benzin.

Durch den Grunewald lustwandelt
Eine biedre Keglerschar.
Eine Laute wird mißhandelt
Durch ein Wandervogelpaar.

Sonntags gehts mit der Verwandtschaft
(Meist jedoch mit Frollein Braut)
In die märkische Streusandlandschaft
Wo man seinen Kaffee braut.

Sommerabendparkgeflüster…
Junges Pärchen auf der Bank.
– Doch das ältere Register
Sitzt im Gartenrestaurang.

Mütter schieben ihren Jüngsten
Auf den sonnigen Balkon.
Und zwei Weekends hinter Pfingsten
Hat die Liebe Hochsaison…

(1932)

Springtime over Berlin

Sun is stuck as if cemented.
Trees pretending that they sprout.
Blue sky throws well-ornamented
Just a handful clouds about.

City smog and not May's fragrance
– Springtime over Great-Berlin! –
Sweet and well-familiar fragrance…
Comes at best from gasoline.

Through the Grunewald are strolling
Skittle-Players here and there.
And a lute sounds just appalling
As it's used by hiking pair.

With the family ev'ry weekend
(Typically with the bride)
Hiking in the sandy upland
Where the coffee's made outside.

Summernightparkconversation…
Pair of lovers on the bench.
– But the older generation
Sits in garden-restaurench.

Mothers start to place their youngster
On the sunny balcony.
And two weekends after Easter
Love's in season heavily…

(1932)

Ein kleiner Mann stirbt

Wenn einer stirbt, dann weinen die Verwandten;
Der Chef schickt einen Ehrenkranz ins Haus,
Und voller Lob sind die, die ihn verkannten.
… Wenn einer tot ist, macht er sich nichts draus.

Wenn einer stirbt – und er ist kein Minister –
Schreibt das Vereinsorgan kurz: „Er verblich…"
Im Standesamt, Ressort: Geburtsregister
Macht ein Beamter einen dicken Strich.

Ein Kleiderhändler fragt nach alten Hüten,
Offerten schickt ein Trauermagazin.
Am Fenster steht: „Ein Zimmer zu vermieten…"
Und auf dem Tisch die letzte Medizin.

Wenn einer stirbt, scheint denen, die ihn lieben,
Es könne nichts so einfach weitergehn.
Doch sie sind auch nur „trauernd hinterblieben",
Und alles läuft, wie es ihm vorgeschrieben.
– Und nicht einmal die Uhren bleiben stehn…

(1931)

A Little Man Dies

When someone dies, his relatives are crying;
The boss just sends a wreath in from somewhere,
Those who mistook him, are now glorifying.
... When someone's dead, he does not really care.

When someone dies – and he's not influential –
His own club's journal notes: "He passed away..."
At town hall's office: Records Residential,
A clerk strikes out his name without delay.

A peddler's coming asking for old hats now,
And offers sent by funeral magazines.
A sign with "room for rent" is in the window
And on the table some last medicines.

When someone dies, it seems to those who love him,
That nothing could just simply carry on.
But they are too just "left behind in mourning,"
And as prescribed, all things just keep on turning.
– Not even clocks stop running hereupon...

(1931)

Blasse Tage

(Für Sonja P.)

Alle unsre blassen Tage
Türmen sich in stiller Nacht
Hoch zu einer grauen Mauer.
Stein fügt immer sich an Stein.
Aller leeren Stunden Trauer
Schließt sich in die Seele ein.

Träume kommen und zerfließen
Gleich Gespenstern, wird es Tag.
In uns bleibt das ewig zage
Fassen nach den bunten Scherben,
Und im Schatten blasser Tage
Leben wir, weil wir nicht sterben.

(1933)

Ashen Days

(For Sonja P.)

All of our ashen days
Pile up ev'ry quiet night
High to form a wall that towers.
Stone joins stone without a hole.
Sadness of those empty hours
Locks itself within the soul.

Dreams appear and melt away
Ghost-like, daybreak comes at last.
Always timid, with delays
We reach for the brighter sky,
And in shades of ashen days
We just live, 'cause we don't die.

(1933)

Melancholie eines Alleinstehenden

Wenn ich allein bin, ist das Zimmer tot.
Die Bilder sehn mich an wie fremde Wesen.
Da stehn die Bücher, die ich längst gelesen,
Drei welke Nelken und das Abendbrot.

Grau ist der Abend. Meine Wirtin tobt.
Ich werde irgendwo ins Kino gehen.
– Mit Ellen konnte ich mich gut verstehen.
Doch vorgen Sonntag hat sie sich verlobt.

…Das letzte Jahr ist so vorbeigeweht.
Mitunter faßt mich eine schale Leere.
Der Doktor sagt, daß dies neurotisch wäre.
– Ob das wohl andern Leuten ähnlich geht…

Ich träume manchmal, daß der Flieder blüht.
(Ich kann zuweilen ziemlich kitschig träumen.)
Erwacht man morgens dann in seinen Räumen,
Spürt man erst recht, wie es von draußen zieht.

Dann pflückt man statt der blauen Blümelein
Die ewig-weißen Blätter vom Kalender
Und packt die noch zu frühen Sommerbänder
Und seine Sehnsucht leise wieder ein.

Vorm Fenster friert der nackte Baum noch immer,
Und staubgeschwärzter Schnee taut auf den Beeten.
Der Ofen raucht. Und mein möbliertes Zimmer
Schreit schon seit Herbst nach helleren Tapeten.

Mein bester Freund ist nach Stettin gezogen.
Der Vogel Jonas blieb mir auch nicht treu.
Die Winterlaube hat der Sturm verbogen.
– Nun sitz ich da und warte auf den Mai…

(1932)

48

Melancholy of an Unmarried Man

When I'm alone, the room is just like dead.
The pictures look at me like alien beings.
There are the books that I have read past ev'nings,
Three dead carnations and the supper's bread.

The ev'ning's gray. My landlord is enraged.
I'll just go to the movie house somewhere.
– With Ellen I could make a decent pair.
But prev'ous Sunday she became engaged.

…Last year just fluttered by before you knew.
At times I'm grabbed by such stale emptiness.
That's just neurotic thought, the doctor says
– I wonder if that's true for others, too…

I sometimes dream that lilacs bloom galore.
(My dreams are now and then a bit cliché.)
When one awakes at home then the next day,
One feels the draft from outside even more.

Instead of blue-ish flowerettes today
One plucks all-white leaves off the calendar
And puts a summer suit spectacular
And all one's longing quietly away.

Outside the window, naked trees are icy,
On garden beds the dirty snow's escaping.
The oven reeks. My furnished room quite loudly
Screams since last fall for sunnier wall-pap'ring.

My closest friend has moved to Stettin town.
Bird Jonah was disloyal to me, too.
The storm has bent the winter-house all down.
– Now I sit here and wait for May anew…

(1932)

Kleine Havel-Ansichtskarte

Der Mond hängt wie ein Kitsch-Lampion
Am märk'schen Firmament.
Ein Dampfer namens „Pavillon"
Kehrt heim vom Wochenend.

Ein Chor klingt in die Nacht hinein,
Da schweigt die Havel stumm.
– Vor einem Herren-Gesangsverein
Kehrt manche Krähe um.

Vom Schanktisch schwankt der letzte Gast,
Verschwimmt der letzte Ton.
Im Kaffeegarten „Waldesrast"
Plärrt nur das Grammophon.

Das Tanzlokal liegt leer und grau.
(– Man zählt den Überschuß).
Jetzt macht selbst die Rotundenfrau
Schon Schluß.

Von Booten flüstert's hier und dort.
Die Pärchen ziehn nach Haus.
– Es artet jeder Wassersport
Zumeist in Liebe aus.

Noch nicken Föhren leis im Wald.
Der Sonntag ist vertan.
Und langsam grüßt der Stadtasphalt,
Die erste Straßenbahn…

(1933)

Little Postcard from the Havel

The moon's a kitschy lampion
On Berlin's firmament.
A steamship named "Pavilion"
Returns from its weekend.

A choir chimes into the night,
The silent Havel's mute.
— Faced with a glee club's vocal might
Some crows turn back en route.

Out of the bar sways its last guest,
It blurs the final tone.
The coffee-garden "Forest's Rest"
Still blares its gramophone.

The dancehall's empty now and gray.
(— They count the revenue).
At last, the restroom-employee
Leaves too.

From boats it whispers here and there.
The couples go home now.
— All water sports turn everywhere
Oft into love somehow.

Still pine trees nod in wood's retreat.
The squandered Sunday ends.
And then the city-asphalts greet,
The first streetcar ascends...

(1933)

2. Kapitel

„Was wir vermissen, scheint uns immer schön"
Leben im nationalsozialistischen Berlin und aufgezwungenes Schweigen

Halbeins. So spät! Die Gäste sind zu zählen.
Ich packe meinen Optimismus ein.
In dieser Stadt mit vier Millionen Seelen
Scheint eine Seele ziemlich rar zu sein.

(Auszug aus: „Auf einen Café-Tisch gekritzelt...")

Bei ihrem ersten Besuch in Deutschland nach dem Krieg erinnerte sich Mascha Kaléko 1956 an die Zeit ihrer kurzen Karriere als Dichterin in Berlin als „die paar leuchtenden Jahre vor der großen Verdunkelung". Dies ist eine gute Beschreibung der Situation in Deutschland beim Übergang von den lebhaften „goldenen 20er Jahren" der Weimarer Republik zu der fatalen Politik der Diktatur unter den Nazis, die das Land und seine Menschen in den frühen 30er Jahren unter ihre Kontrolle brachten. Es beschreibt ebenso den glänzenden Erfolg der Dichterin und den aufgezwungenen Fall in Anonymität und Schweigen nur wenige Jahre später.

Da Kaléko nicht sofort als Jüdin identifiziert wurde, erschienen ihre Gedichte sogar in nicht-jüdischen Publikationen noch lange nach Hitlers Machtergreifung. Ihr zweites Buch *Kleines Lesebuch für Große. Gereimtes und Ungereimtes* erschien Ende 1934, also fast zwei Jahre nachdem ihr erster Gedichtband publiziert worden war. Die 4. und letzte Ausgabe dieses zweiten Buches erschien im November 1936. Bereits im August 1935 war Kaléko von der Reichsschrifttumskammer ausgeschlossen worden. Im Januar 1937 informierten die Behörden ihren Herausgeber, den renommierten Rowohlt Verlag, vom Verbot der Verbreitung von Kalékos Werken. Im April desselben Jahres wurden dann die letzten Bücher verkauft. Nur eine kleine Anzahl jüdischer Publikationen druckte danach ihre eigenen Verse, sowie einige wenige Übersetzungen hebräischer Gedichte, die sie geschrieben hatte.

Chapter 2

"It's what we miss, that always hurts our heart"
Living in Nazi-Berlin and forced silence

Twelve-thirty. Late! Can count the guests, alas.
I put away my optimistic dreams.
Among four million souls this city has
One soul is rather hard to find, it seems.

(excerpt from: "Scratched Into a Café-House Table...")

During her first visit back to Germany after the war in 1956, Mascha Kaléko remembered the time of her brief career as a poet in Berlin as "those few shining years before the great darkening." This describes well the situation in Germany in its transition from the lively "Golden 20s" of the Weimar Republic to the fatal politics of dictatorship under the Nazis that took control of the country and its people in the early 1930s. It also depicts the poet's own glowing success and her forced fall into obscurity and silence just a few short years later.

Since Kaléko was not immediately recognized as a Jew, her work was still printed, even in non-Jewish publications, long after Hitler's rise to power. Her second book *Kleines Lesebuch für Große. Gereimtes und Ungereimtes* ("Little Reading Book for Big People. Things that rhyme and those without rhyme or reason") was published at the end of 1934, almost two years after her first volume of poetry had appeared. The 4th and final edition of this second book was issued in November 1936. Already in August 1935, Kaléko had been excluded from the State's Literary Guild ("Reichsschrifttumskammer"). In January 1937, the authorities contacted her publisher, the prestigious Rowohlt Verlag, and prohibited the distribution of Kaléko's works. The last books were sold in April of that year. Thereafter, only a small number of Jewish publications printed her poems, as well as a few translations of Hebrew poetry she had written.

The fast-changing world in mid 1930s Berlin affected Kaléko's personal life as well. Around 1935, she met the Jewish composer, mu-

Die sich schnell verändernde Welt im Berlin Mitte der 30er Jahre hatte ebenfalls Einfluss auf Kalékos persönliches Leben. Etwa 1935 lernte sie den jüdischen Komponisten, Musikforscher und Chordirektor Chemjo Vinaver kennen und verliebte sich sehr in ihn. Obwohl sie danach mit ihrem Ehemann Saul noch in eine bessere Wohnung in Berlins zentraler Bleibtreustraße zog, war die Beziehung zu ihm am Ende. Mehr oder weniger mit dem Wissen ihres Ehemanns, dessen größte Sorge es war, dass sie mit ihm verheiratet bliebe, begann sie ein Verhältnis mit Vinaver. Als Kaléko Anfang 1936 schwanger wurde, ließ sie Saul einige Zeit lang glauben, dass er der Vater sei. Selbst nachdem sie ihm im folgenden Jahr gestanden hatte, das der Junge mit dem Namen Avitar nicht sein Sohn sei, wollte er, dass sie bei ihm bliebe. Gegen Ende 1937 verließ Saul dann jedoch die gemeinsame Wohnung in der Bleibtreustraße und Vinaver zog zu Kaléko und dem gemeinsamen Sohn. Im Januar 1938 wurde die Scheidung rechtsgültig und Mascha heiratete Chemjo nur sechs Tage später.

Das Leben mit dem hochbegabten Musiker, der in mancher Weise etwas weltfremd schien, war nicht leicht für die junge Dichterin und neue Mutter. In einem Tagebuch, das Kaléko während dieser Zeit führte, schreibt sie über die Schwierigkeiten in der Beziehung und die emotional qualvollen Perioden, aber die tief verwurzelte Liebe, die beide füreinander fühlten, war stärker als alles andere. Die Belastungen für die junge Familie wurden zweifellos durch die Tatsache erschwert, dass das Leben in Deutschland für sie zunehmend unerträglicher wurde, so wie es für die anderen Juden der Fall war, die noch im Land geblieben waren. Außer Kalékos Tagebuch, in dem vor allem von Familiendingen berichtet wird, wissen wir nicht viel über die Umstände ihres Lebens während dieser Zeit. Die Situation war besonders schwierig für sie als Künstler, weil beide für ihre Gedichte bzw. Musik die Öffentlichkeit brauchten, sie aber gleichzeitig in einem sehr feindseligen Umfeld lebten, in dem es besser war, dass niemand wusste, dass sie überhaupt existierten. Beide tief verwurzelt in der deutschen Kultur und ihrer Sprache, aber nicht in der Lage zu veröffentlichen oder aufzutreten,

sic scholar, and choir director Chemjo Vinaver and fell deeply in love with him. Even though she still moved with her husband Saul into an upscale apartment in Berlin's centrally located Bleibtreustrasse (meaning literally "Remain Faithful Street"), her relationship with him was over. She started dating Vinaver more or less with the knowledge of her husband, whose main concern was that she would stay married to him. When Kaléko became pregnant in early 1936, she had Saul believe for some time that he was the father. Even after telling him the following year that the boy she named Avitar was not his son, he wanted her to stay with him. Sometime in late 1937, however, Saul left their apartment in Bleibtreustrasse and Vinaver moved in to join Kaléko and their son. In January 1938, the divorce was finalized and Mascha married Chemjo just six days later.

Living with this highly gifted musician, who was somewhat ignorant of the world around him, was not easy for the young poet and new mother. In a diary Kaléko kept during this time, she speaks about difficulties and emotionally painful periods, but the deeply rooted love they shared for each other was stronger than anything else. Part of their struggles as a family was undoubtedly caused by the fact that life in Germany became increasingly challenging for them, as it did for other Jews remaining in the country. Apart from Kaléko's diary that dealt mostly with family matters, not much is known about the details of their life during this period. The situation was especially difficult for them as artists, because they needed to be public with their poetry and music in a very hostile environment where it was better that no one knew they even existed. Both deeply rooted in German culture and language, but not allowed to publish or perform, they now had to decide urgently where to go and when to leave.

In March 1938, Kaléko traveled to Palestine to visit her parents who had left Germany in 1935 with their two youngest children. Not much is known about this trip and the reasons that led to the decision not to move there. The language barrier and fewer professional

mussten sie sich nun dringend entscheiden, wohin sie gehen sollten und wann aufzubrechen sei.

Im März 1938 reiste Kaléko nach Palästina, um dort ihre Eltern zu besuchen, die Deutschland bereits 1935 mit den beiden jüngsten Kindern verlassen hatten. Es ist nicht viel bekannt über diese Reise oder über die Gründe, warum die Entscheidung getroffen wurde, nicht dorthin zu ziehen. Die Sprachbarriere und die geringen beruflich-künstlerischen Möglichkeiten, gepaart mit den beträchtlichen kulturellen und klimatischen Unterschieden, mögen Kaléko davon überzeugt haben, dass Palästina nicht der richtige Ort war. Eine Wiedervereinigung mit Eltern und Geschwistern war ebenfalls kein guter Grund, weil die Beziehung zu ihrer Familie, außer der mit dem Vater, angespannt war. Nach ihrer Rückkehr nach Berlin im April 1938 bereiteten sich Kaléko und ihr Ehemann darauf vor, in die Vereinigten Staaten von Amerika auszuwandern.

Die Gedichte, die Mascha Kaléko in Berlin in den Jahren unter der Nazi-Herrschaft schrieb, waren noch weniger politisch als ihre früheren Arbeiten. Vieles von der attraktiven Leichtfüßigkeit ihrer ersten Gedichte war verschwunden, und was heiter und zuversichtlich gemeint war, klang jetzt manchmal erzwungen. Sie war sich offensichtlich bewusst, dass Texte mit offener Kritik zu Problemen mit den Behörden führen würden, von denen sie bereits länger in Frieden gelassen worden war, als viele ihrer politisch freimütigeren Zeitgenossen. Obwohl man sagen kann, dass auch ihre früheren Arbeiten keinen besonders starken politischen Unterton hatten, gab es dort dennoch hier und da einen satirischen und gar zynischen Blick auf die Gesellschaft im allgemeinen (z. B. „Herrschaftliche Häuser" oder „Ein kleiner Mann stirbt") oder auf weniger privilegierte Mitmenschen wie in den Gedichten „Mannequins" oder „Liftboy", die vor 1933 mit zumindest einem gemäßigten Hauch Kritik geschrieben worden waren.

Kalékos neue Gedichte handelten hauptsächlich von der Liebe, dem Erwachsenwerden, von Natur und Reisen. Es gab weniger Porträts von Alltagsmenschen mit ihren kleineren oder größeren Problemen in

opportunities, along with significant cultural and climatic differences may have convinced Kaléko that Palestine was not the right place to go. Reuniting with her parents and siblings was also not a good reason, because the relationship with her family, except with her father, was somewhat strained. After her return to Berlin in April 1938, Kaléko and her husband prepared to emigrate to the United States of America.

The poems Mascha Kaléko wrote in Berlin during the years under Nazi rule became even less political than her previous work. Much of the attractive ease of her earlier poems was gone, and what was meant to sound light-hearted and hopeful, now appeared strained at times. She was obviously aware that texts with open criticism would result in problems with the authorities that had left her unharmed much longer than many of her Jewish or politically more outspoken contemporaries. While it is true that even her earlier work was not very political in nature, a satirical and sometimes cynical look at society in general (e.g., "High-class Houses" or "A Little Man Dies") or at underprivileged individuals like "Mannequins" or the "Liftboy" had appeared in poems written before 1933 with at least a measured hint of critique.

Kaléko's new poems were mainly about love, growing up, nature, and traveling. There were fewer portraits of everyday people with their smaller or larger problems in a society without many upward opportunities and concealed but growing discontent. Hardly any of the new poems depicted financial problems or the unemployment, all of which had appeared in her first book. Even a fair number of rather trivial, romantically inclined texts in prose found their way into her new publication, perhaps as a substitute for the curtailed poetic boldness.

Kleines Lesebuch für Große was divided into 4 chapters much like an educational reading book would be, giving it the appearance of a humorously didactic publication for adults. Four-liners were used to introduce the chapters and the subject matters of the subsequent

einer Gesellschaft ohne gute Aufstiegschancen und mit verdeckter aber wachsender Unzufriedenheit. Kaum eines der neuen Gedichte stellte die Arbeitslosigkeit oder die finanziellen Probleme der Menschen dar, die man als Thema in ihrem ersten Buch hatte finden können. Sogar einige eher triviale, romantisch angehauchte Prosatexte fanden den Weg in ihre neue Publikation, vielleicht als Ersatz für den reduzierten poetischen Mut.

Kleines Lesebuch für Große war wie eine Schulfibel in vier Kapitel unterteilt, was dem Buch das Erscheinungsbild einer humorvoll-didaktischen Veröffentlichung für Erwachsene geben sollte. Mit Vierzeilern wurden die Kapitel und die Themen der nachfolgenden Texte eingeleitet. Durch sie sollte das Augenmerk auf sehr persönliche Themen gelenkt werden, die vordergründig in sicherer Entfernung zu politischen oder gar gesellschaftskritischen Motiven standen.

Die folgenden Übersetzungen, beginnend mit jenen einleitenden Vierzeilern, basieren alle auf Gedichten, die in Mascha Kalékos zweitem Buch enthalten sind.

texts. Their function was to underscore the focus on very personal themes that were obviously at a safe distance from political or critical motifs.

The following translations, starting with those introductory four-liners, are all based on poems included in Mascha Kaléko's second book.

Cover of *Kleines Lesebuch für Große,*
published in December 1934 by Rowohlt Verlag

Römisch Eins
Von Mensch zu Mensch

Nun, da du fort bist, scheint mir alles trübe.
Hätt' ich's geahnt, ich ließe dich nicht gehn.
Was wir vermissen, scheint uns immer schön.
Woran das liegen mag –. Ist das nun Liebe?

(1931)

Römisch Zwei
Von Elternhaus und Jugendzeit

Jetzt bin ich groß. Mir blüht kein Märchenbuch.
Ich muß schon oft „Sie" zu mir selber sagen.
Nur manchmal noch, an jenen stillen Tagen,
Kommt meine Kindheit heimlich zu Besuch.

(1932)

Roman Numeral I
From Person to Person

Now that you're gone, to me all seems so rough.
If I had known, I'd never let you part.
It's what we miss, that always hurts our heart.
Just why must this be so –. Is this called love?

(1931)

Roman Numeral II
Of Family-Home and Youth

Now I am grown. No fairy tale for me.
I often have to call myself now "ma'am."
Just sometimes, still, when certain days are calm,
My childhood comes to visit secretly.

(1932)

Römisch Drei

Von den Jahreszeiten

Der Frühling fand diesmal im Saale statt.
Der Sommer war lang und gesegnet.
– Ja, sonst gab es Winter in dieser Stadt.
Und sonntags hat's meistens geregnet...

(1934)

Römisch Vier

Von Reise und Wanderung

Einmal sollte man seine Siebensachen
Fortrollen aus diesen glatten Geleisen.
Man sollte sich aus dem Staube machen
Und früh am Morgen unbekannt verreisen.

(1932)

Roman Numeral III
About the Seasons

The spring took place indoors this year.
The summer was long and it sizzled.
– Well, otherwise 'twas winter here.
And Sundays it usually drizzled…

(1934)

Roman Numeral IV
Of Journeys and Traveling

Some day one should take all his odds and ends
And push them off these well-worn tracks.
One should just beat it from one's residence
And leave unknown when morning breaks.

(1932)

Für Einen

Die Andern sind das weite Meer.
Du aber bist der Hafen.
So glaube mir: kannst ruhig schlafen,
Ich steure immer wieder her.

Denn all die Stürme, die mich trafen,
Sie ließen meine Segel leer.
Die Andern sind das bunte Meer,
Du aber bist der Hafen.

Du bist der Leuchtturm. Letztes Ziel.
Kannst, Liebster, ruhig schlafen.
Die Andern… das ist Wellen-Spiel,

Du aber bist der Hafen.

(1934)

For One

The others are the open sea,
The harbor's you alone.
Trust me: sleep calmly like a stone,
I will steer here perpetually.

The storms that struck me oft full-blown
Left my sails empty utterly.
The others are the colored sea,
The harbor's you alone.

You are the lighthouse. Guide my way.
You can, my love, sleep like a stone.
The others... that's just waves at play,

The harbor's you alone.

(1934)

Auf eine Leierkastenmelodie...

Du kamst nur um einige Jahre zu spät,
Und ich konnte so lange nicht warten.
Alle Blumen, die ich, dich zu grüßen, gesät
Sind verwelkt nun in meinem Garten.

Tag um Tag, Jahr um Jahr hab ich nach dir gespäht.
Doch da warst du auf endlosen Fahrten.
Meine Sehnsucht verstummte, mein Lied ist verweht,
Und nun kommst du um einige Jahre zu spät,
Denn ich konnte so lange nicht warten.

Sag, wo warst du, als Frühling im Lande noch war,
Als das Glück vor den Toren noch stand,
Als die Tage voll Licht und die Nächte so klar,
Sag wo warst du, als ich frohe Zwanzig noch war
Und noch frei war mein Herz, mein die Hand.

Sieh, nun ist meine Liebe erloschen und müd
Wie die Sonne im Herbst, die nur scheint und nicht glüht,
Und es silbert mein goldenes Haar.

Laß dein Boot fest am Ufer, an dem es nun steht,
Denn nun kommst du um einige Jahre zu spät,
Und es wird nie mehr so wie es war...

(1934)

On a Melody for Barrel-Organ...

It's only a few years too late that you've shown,
And I could not keep waiting that long.
All the flowers that I, just to greet you, had sown
Have now withered away, were not strong.

Day by day, year by year, have I searched you alone.
But you were on your journeys so long.
Now my yearning has vanished, my song died unknown,
And it is now a few years too late that you've shown,
'Cause I could not keep waiting that long.

Say, where were you when springtime was still present here,
There was bliss at the door so divine,
When the days were all light and the nights still so clear,
Say, where were you in my joyful twentieth year
When my heart was still free, hand still mine.

See, now my love for you is extinguished and slow
Like the sun in the fall that can shine but not glow,
And it silvers my once golden hair.

Leave your boat at the shore where it's now tied upon,
'Cause it is now a few years too late that you've shown,
And things won't be the way that they were...

(1934)

Bewölkt, mit leichten Niederschlägen...

Auch dieser Sommer wird vorüberwehn
So sanft und still, als wär er nie gewesen.
Und wieder wird ein Wächter mit dem Besen
Im welken Park durch Blätterknistern gehn.

Auch dieser Herbst wird wie die andern sein.
So rollte manches Jahr sich schon zu Ende.
Bald starrt man wieder auf vier fremde Wände
Und regnet mit den Tagen langsam ein.

Schon schläfert sich das Leben winterwärts.
Wie träg die schrägen Regenfäden rinnen.
Sie fangen an, Melancholie zu spinnen.
Scheu wie ein Kind verkriecht sich unser Herz.

Stirbt nicht das Laub, wenn es auch farbig glüht?
Klagt nicht das Boot verlassen auf den Wogen?
Die allerletzten Rosen sind verblüht.
Der Sommer geht. Auch dieser hat getrogen.

Nun wird es Herbst. Was bleibt in unsern Träumen?
Ein Lied vielleicht. Ein Abendwind am Meer,
Das erste Rauschen in erblühten Bäumen
Und stilles Warten auf die Wiederkehr...

(1932)

Cloudy, with Light Precipitation...

This summer will just whiff away as well
So soft and still, as if it was not here.
A sweeper with his broom again this year
Will cross the park through crackling leaves that fell.

This autumn also will be just the same.
That's how so many years have rolled t'ward end.
Soon staring at strange walls is how time's spent
And one is rained in day by day again.

Already life is slumb'ring winterward.
How sluggish slanting rain strings seem to run.
They join, and soon melancholy is spun.
Shy like a child is hiding our heart.

Do leaves not die, despite their colored flare?
Do boats not moan, abandoned on the billow?
The last remaining roses now stand bare.
The summer leaves. This one deceiving also.

Now fall arrives. What will our dreams contain?
A song perhaps. An ev'ning breeze at sea.
First rustling heard in budding trees again
And waiting for recurrence quietly...

(1932)

Kleines Liebeslied

Weil deine Augen so voll Trauer sind,
Und deine Stirn so schwer ist von Gedanken,
Laß mich dich trösten, so wie man ein Kind
In Schlaf einsingt, wenn letzte Sterne sanken.

Die Sonne ruf ich an, das Meer, den Wind,
Dir ihren hellsten Sommertag zu schenken,
Den schönsten Traum auf dich herabzusenken,
Weil deine Nächte so voll Wolken sind.

Und wenn dein Mund ein neues Lied beginnt,
Dann will ichs Meer und Wind und Sonne danken,
Weil deine Augen so voll Trauer sind,
Und deine Stirn so schwer ist von Gedanken…

(1934)

Little Love Song

Because there's sadness in your eyes, so clear,
And heavy is your forehead, full of woe,
Let me console you like a child, my dear,
One softly sings to sleep when stars sank low.

I call upon the sun, the wind, the sea,
To bring to you the brightest summer day,
The finest dream there is send down your way,
'Cause full of clouds are all the nights of thee.

And once your lips will start new songs, my dear,
I'll thank the sea and wind and sun's warm glow,
Because there's sadness in your eyes, so clear,
And heavy is your forehead, full of woe...

(1934)

3. Kapitel

„Doch der Frühling hier ist mein Frühling nicht"
Exil in New York und Mittelpunkt Familie

Mein Herz schrie auf. Ich bin erwacht
Und starre dunkel in die Nacht.
Die Stadt schlief ein auf grauem Stein.
Ich bin allein. Bin ganz allein.

(Auszug aus: „New York, halbdrei")

Am 23. Oktober 1938, nur zwei Wochen vor der berüchtigten Reichskristallnacht, die den Anfang vom Ende für das jüdische Leben in Deutschland und bald darauf für ganz Europa markierte, kam Mascha Kaléko mit Mann und Sohn per Schiff aus LeHavre/Frankreich in Amerika an. New York City mit seiner großen jüdischen Bevölkerung, einer beträchtlichen Zahl von Exilanten, die sich hier bereits niedergelassen hatten – unter ihnen über 200 verbannte deutschsprachige Schriftsteller – und vielversprechenden Karrierechancen, schien ein geeigneter Ort zu sein, um als Dichterin mit musischem Ehemann ein neues Leben zu beginnen.

Aber die ersten Jahre in New York erwiesen sich als sehr schwierig. So wie für viele der Exilanten, waren Verlust von Land und Sprache, finanzielle Probleme, die Sorge um Familie und Freunde in der verlassenen Heimat, und die vielen bürokratischen Hindernisse von Anfang an eine Herausforderung. Für Kaléko und Vinaver waren Veröffentlichungen, Auftritte oder einfach nur eine bezahlte Arbeit zu finden, keine leichte Aufgabe.

Kaléko schrieb weiterhin Gedichte, aber kaum etwas davon wurde gedruckt. Sie benutzte ihre Muttersprache, obwohl nur sehr wenige Verlage an deutschen Texten Interesse hatten. Die bekannte Exilzeitung *Aufbau* in New York City druckte literarische Arbeiten von und für deutschsprechende Leser, aber ihre erklärte Mission, Einwanderern die Assimilierung in der neuen Heimat zu erleichtern, disqualifizierte

Chapter 3

"But the springtime here is not my spring there"
Exile in New York and focus on family

My heart cried out. I woke affright
And stare confused into the night.
The city sleeps on grayish stone.
I am alone. Am all alone.

(excerpt from: "New York, Two-Thirty")

On October 23, 1938, only two weeks before the infamous "Night of Broken Glass" ("Reichskristallnacht") marked the beginning of the end for Jewish life in Germany, and soon for most of Europe, Mascha Kaléko arrived with husband and son in America via ship from LeHavre, France. New York City, with its large Jewish population, a significant number of exiles who had already settled there – among them about 200 German-speaking exiled writers – and many promising career opportunities, seemed to be a good place to start a new life for the poet and her musician husband.

But the first years in New York proved to be very difficult. As was the case for many exiles, the loss of land and language, financial constraints, fear for family and friends back home, and many bureaucratic obstacles made life challenging from the start. For Kaléko and Vinaver, publishing, performing, or simply finding a paying job was not an easy task.

Kaléko continued to write poetry, but hardly anything was printed. She kept using her native language while only very few publishers were interested in German texts. The well-known emigrant journal *Aufbau* ("Reconstruction") in New York City printed literary works from and for German speaking readers, but its declared mission to help immigrants to assimilate in their new home disqualified many of Kaléko's poems. Her work remained focused on Germany and was full of homesickness and sadness in this new and strange environment. Hers was

viele von Kalékos Gedichten. Ihre Verse blieben mit Deutschland verbunden und waren voller Heimweh und Traurigkeit in dieser neuen und fremden Umgebung. Ihre Dichtung war nicht die Art von Exil-Literatur, die der *Aufbau* veröffentlichen wollte. Erst ein volles Jahr nach der Ankunft in New York – und mehr als sechs Jahre nachdem ein neues Gedicht von ihr in einer großen deutschen Zeitung erschienen war – druckte der *Aufbau* Kalékos Gedicht „Jom Kippur". Nur einige wenige Texte, die sie in New York schrieb, wurden in den folgenden Jahren tatsächlich gedruckt, und das Einkommen, das diese ihrer Familie bescherten, war minimal.

Chemjo Vinaver war zu Beginn erfolgreicher. Um seine Kunst genießen zu können, brauchte es nicht die Kenntnis der deutschen Sprache. Schon wenige Monate nach Ankunft in New York gründete er den „Vinaver Choir" und Musik, die er geschrieben hatte, wurde in einem Broadway-Stück verwendet. Der Chor mit seinem vor allem jüdischen Musikprogramm war relativ erfolgreich und gab Konzerte im gesamten New Yorker Großraum. Da Vinaver kein Englisch sprechen konnte, und er auch sonst seinen Chor außer mit der rein künstlerischen Direktion nicht zu führen in der Lage war, übernahm seine Frau viele organisatorische und bürokratische Tätigkeiten. Sie erstellte die Werbung, schrieb die Programme, organisierte Auftritte, übersetzte, und kümmerte sich um die für Aufführungen erforderlichen amtlichen Genehmigungen. Aufgrund des Fehlens eines professionelleren Managements, und wegen der eher kurzen Musik-Saison in New York City (in der Regel von April bis September), ließ sich mit dem Chor jedoch ebenfalls kein regelmäßiges Einkommen erzielen.

Während ihr Mann mit dem Chor arbeitete und sein lebenslanges Studium der chassidischen Musik fortsetzte, organisierte Kaléko den Haushalt, erzog den gemeinsamen Sohn, der jetzt Steven genannt wurde, verbrachte Zeit in der Bibliothek, um die Bücher zu lesen, die sie auf der Flucht von Deutschland nicht hatte mitbringen können, und schrieb nebenbei weiter. Ihr literarischer Nachlass enthält eine Sammlung meist undatierter Texte, von denen viele in diesen

not the type of exile literature that the *Aufbau* wanted to publish. Not until a whole year after arriving in New York – and more than six years since a new poem of hers had appeared in a large German newspaper –, did the *Aufbau* print Kaléko's poem "Jom Kippur." Over the next few years, just a small number of texts she wrote in New York were actually printed, and the income those generated for the family was minimal.

Chemjo Vinaver was more successful at first. His art did not need the knowledge of the German language to be appreciated. Within months of arrival in New York, he founded the "Vinaver Choir," and music he had written was featured in a Broadway play. With its mainly Jewish music program, his choir was fairly successful and gave concerts all over the metropolitan area. Since Vinaver did not speak any English, and was not able to lead the choir in other ways than a purely artistic direction, his wife was active in many managerial and administrative roles. She provided most of the advertising, wrote programs, coordinated appearances, translated, and applied for the permits needed to perform. Financially, however, the choir's lack of a more professional management and the rather short music season in New York City (typically April through September) did not allow for a steady income.

While her husband worked with the choir and continued his life-long studies of Hassidic music, Kaléko organized the household, raised their son, now named Steven, spent time at the library to read the books she could not bring when they had fled Germany, and continued writing on the side. Her literary estate contains a lot of mostly undated texts, of which many must have been written during these years. She applied her literary talents to a variety of genres: children stories, fairy tales, song lyrics, musicals, librettos, radio drama, translations, and much more. Many of these works, some even written in English, are clearly stuck in an experimental stage; others remain fragmental. Her role as the proud and protective mother raising her young son is evident in many of these writings. Except for some of the poetry, and a few essays about her Greenwich Village neighbor-

Jahren geschrieben worden sein müssen. Sie setzte ihr literarisches Talent für eine Vielzahl von Genres ein: Kindergeschichten, Märchen, Liedertexte, Musicals, Libretti, Hörspiele, Übersetzungen und vieles mehr. Manche dieser Werke, einige sogar auf Englisch verfasst, sind eindeutig im Versuchsstadium stecken geblieben, andere blieben fragmentarisch. Besonders ihre Rolle als stolze und beschützende Mutter des jungen Sohnes wird in vielen dieser Texte deutlich. Außer einigen wenigen Gedichten und ein paar Aufsätzen über den Stadtteil Greenwich Village, in dem sie wohnten, wurde nichts davon veröffentlicht und ist zusammen mit anderen Dokumenten, die nach ihrem Tod in der Wohnung in Jerusalem gefunden wurden, in Marbach/Deutschland archiviert.

Finanzielle Probleme plagten die Familie in New York von Anfang an. Um ein wenig Geld zu verdienen, ging Kaléko von Tür zu Tür, um Kriegsanleihen zu verkaufen und sie schrieb kurze Werbetexte, wie einst im heimatlichen Berlin gelernt. Es ist unklar, ob irgendwelche dieser Texte verwendet worden sind. Da ein Großteil ihrer Zeit für das Management des Chors und sonstige Tätigkeiten aufgewendet wurde, beschäftigte die Familie ein Kindermädchen, das sich um den Sohn kümmern sollte. Diese zusätzliche Ausgabe verschlechterte die finanzielle Situation noch mehr. In dieser stressigen Periode begannen Kalékos Klagen über Magenprobleme und Kopfschmerzen. Entsetzen über das andauernde politische Chaos im vom Krieg zerstörten Europa und vor allem über das Schicksal der jüdischen Bevölkerung – Genaueres darüber wurde nun mehr und mehr öffentlich bekannt – verursachten zusätzlichen körperlichen und seelischen Schmerz. Die Entscheidung New York zu verlassen und nach Hollywood/Kalifornien zu gehen, wo man sich, angetrieben vom dortigen Interesse an deutschen Komponisten, gute Beschäftigungsmöglichkeiten für Chemjo in der Filmindustrie erhoffte, endete mit der enttäuschten Rückkehr nach New York City nach sechs anstrengenden Monaten.

Ein Erfolg stellte sich schließlich 1945 ein, als der Schoenhof Verlag in Cambridge/Massachusetts Gedichte Kalékos in einem Buch mit

hood, nothing was ever published and remains archived in Marbach, Germany, along with other documents found in her Jerusalem apartment after her death.

Financial problems plagued the family in New York from the very beginning. In order to earn a little money, Kaléko volunteered to sell war bonds door-to-door and wrote short texts for advertisements, something she had learned in classes taken back home in Berlin. It is unclear if any of these texts were ever used. Since much of her time was spent managing her husband's choir and being busy otherwise, the family employed the help of a nanny to take care of their son. This additional expense made the financial situation even worse. During this stressful time, Kaléko started complaining about stomach problems and headaches. Worries about the ongoing political chaos in war-torn Europe, and especially the plight of the Jewish population – news of which started to become more and more public knowledge – caused additional physical and emotional pain. A decision to leave New York and move to Hollywood, California, in order to take advantage of anticipated business opportunities for Chemjo in the film industry, fueled by its interest in German composers, resulted in a disappointing return to New York City after six stressful months.

Some success finally came in 1945 when the Schoenhof Verlag in Cambridge, Massachusetts, published a volume of Kaléko's poetry with the title *Verse für Zeitgenossen* ("Verses for Contemporaries"). This book included poems that had already been published in Berlin before the war, but also contained new texts that Kaléko had written during the early years in New York. Many of those poems looked back home in pain or in disgust, while others depicted the exiles' situation in the new land. Only a few described the American way of life with amusement or bewilderment and often with yet more painful references back to the land she had to leave behind. The more personal poems she had written during this time deal with the fragility and uncertainty of life in general and display the deep anxiety she felt about losing the two people around her – husband and son – who were responsible for the

dem Titel *Verse für Zeitgenossen* veröffentlichte. Dieser Band enthielt Gedichte, die bereits vor dem Krieg in Berlin erschienen waren, aber ebenso neue Texte, die Kaléko während der frühen Jahre in New York geschrieben hatte. Viele dieser Gedichte blickten mit Schmerz oder Ekel in die alte Heimat zurück, während andere die Situation der Exilanten in der neuen Welt darstellten. Nur wenige beschrieben den „American Way of Life" mit Belustigung oder gar Verwirrung, und oft wieder mit schmerzhafter Bezugnahme auf das Land, das sie hatte zurücklassen müssen. Die persönlichen Gedichte, die sie während dieser Zeit schrieb, befassen sich mit der Zerbrechlichkeit und der Ungewissheit des Lebens im Allgemeinen und zeigen ihre tiefverwurzelte Angst davor, die zwei Menschen um sich herum zu verlieren – den Mann und den Sohn –, die alleine verantwortlich waren für die Stärke und Zuversicht, die sie in diesen schwierigen Anfangsjahren im Exil aufzubringen in der Lage war.

Am Silvestertag 1955 bestieg Kaléko ein Schiff, um zum ersten Mal nach dem Krieg wieder Deutschland zu besuchen (bei einer Reise mit Vinaver nach Israel im Jahr 1952 war es zwar zu einem Aufenthalt in Paris gekommen, aber Deutschland hatten sie nicht besucht). Es hatte sie mehr als ein Jahrzehnt nach Ende des Krieges gekostet, um den Mut und die Überzeugung zur Rückkehr zu den Menschen und Orten aufzubringen, die so eng verknüpft waren mit dem gewaltsamen Ende ihres unschuldigen Privatlebens und ihrer literarischen Karriere. Anfang Januar kam sie in Hamburg an, also in derjenigen Stadt, die im September 1938 ihre letzte Station auf deutschem Boden vor der Zugfahrt nach Paris und ins Exil gewesen war. Sie besuchte den Rowohlt Verlag, dessen Büros jetzt in Hamburg waren, und der sich letztendlich dazu entschieden hatte, eine Neuauflage ihrer ersten zwei Bücher mit dem zusammengefügten Titel *Das Lyrische Stenogrammheft. Kleines Lesebuch für Große* zu veröffentlichen.

Kalékos Auftritte in vielen deutschen Städten, vor allem in Berlin, wo sie ihre Gedichte las und Interviews gab, waren sehr erfolgreich und zogen große Menschenmengen an. Einige Leute erinnerten sich noch

strength and the confidence she was able to muster during these difficult early years in exile.

On New Year's Eve 1955, Kaléko boarded a ship to visit Germany for the first time after the war (a trip together with Vinaver to Israel in 1952 had included a stop-over in Paris, but not a visit to Germany). It had taken her more than a decade after the war to find the courage and persuasion to return to people and places so closely connected with the forceful end of her innocent private life, as well as her literary career. She arrived in Hamburg in early January, the same city that had been her last stop on German soil in September 1938 before taking the train to Paris and into exile. She visited the Rowohlt Verlag, now with its offices in Hamburg, that had finally decided to publish a new edition of her first two books under the combined original titles *Das lyrische Stenogrammheft. Kleines Lesebuch für Große.*

Kaléko's appearances in many German cities, especially in Berlin, where she read her poetry and gave interviews, were very successful and drew large crowds. Some people still remembered the poet or her work from "a thousand years ago," others were simply impressed by her life's story or by the powerful words she had written back then and now. But as fulfilling and rewarding as these travels must have been for Kaléko, husband and son were waiting in America, and this was now her new home. After spending almost a year alone in Europe, she returned to New York in December 1956, but with definite plans for future visits. Her new book in Germany sold well, and in 1958 the Rowohlt Verlag even published the German version of the U.S. book *Verse für Zeitgenossen.*

The poems Kaléko wrote in New York were quite different from her earlier work in Berlin, as mentioned before. The light humor was almost entirely gone, and sarcasm had taken the place of previously more satirical or ironical glimpses at people and the world. Tender feelings, or verses with a smile or a tear between the lines – or after the last line had ended –, entered the new poems only when she wrote about her son or her husband. It is obvious from her poetry that Vinaver, despite the dis-

an die Dichterin oder ihr Werk von „vor tausend Jahren", andere waren einfach ergriffen von ihrer Lebensgeschichte oder von den beeindruckenden Worten, die sie damals und immer noch zu schreiben in der Lage war. Aber wie befriedigend und lohnend diese Reise für Kaléko auch gewesen sein muss, Ehemann und Sohn warteten in Amerika auf sie, und dort war nun ihr neues Zuhause. Nach fast einem Jahr alleine in Europa, kehrte sie im Dezember 1956 wieder nach New York zurück, aber mit konkreten Plänen für zukünftige Besuche. Ihr neues Buch in Deutschland verkaufte sich gut, und 1958 veröffentlichte der Rowohlt Verlag sogar eine deutsche Version des amerikanischen Buches *Verse für Zeitgenossen*.

Die Gedichte, die Kaléko in New York schrieb, waren andersartig als ihre früheren Arbeiten in Berlin, was bereits erwähnt wurde. Der leichte Humor war fast vollständig verschwunden und Sarkasmus hatte den Platz der zuvor meist satirischen oder ironischen Blicke auf Menschen und die Welt eingenommen. Zärtliche Gefühle oder Verse mit einem Lächeln oder einer Träne zwischen den Zeilen – oder nachdem die letzten Zeile geendet hatte –, traten in den neuen Gedichten nur dann in Erscheinung, wenn sie von ihrem Sohn schrieb oder von ihrem Mann. Es ist ganz offensichtlich erkennbar in ihrer Dichtung, dass Vinaver, trotz der Distanz mit der er oft in seiner eigenen Welt lebte, eine wichtige Rolle für ihren seelischen Zustand gespielt hat, und dass er ihr die Kraft gegeben hat, durch die vielen schwierigen Phasen ihres Lebens, nicht nur jenen in New York, hindurchzukommen.

In ihren Arbeiten im Exil hat Kaléko oft deutlich gemacht, dass „Heimat" für sie kein Ort war, sondern vielmehr in der Liebe zu finden sei, die sie für ihre Familie hatte, und die sie innerhalb ihrer Familie empfand. Physische Orte waren in ihrer Erfahrung zu vergänglich oder feindlich und daher nicht geeignet, eine behagliche oder dauerhafte Zuflucht zu bieten. Ein Vers wie „Und Heimat ist nur, wo mit dir ich bin", der in New York geschrieben wurde, oder „Zur Heimat erkor ich mir die Liebe", reflektieren ihren Gemütszustand während der Jahre im Exil sehr gut. Das letztere Zitat stammt aus einem Gedicht, das sie

tance he kept by often living in his own world, played a major role in her emotional well-being and gave her the strength to live through the many difficult phases of their life, not only while in New York.

Oftentimes in her exile work, Kaléko made clear that "home" for her was not a place anymore, but rather the love she felt for, and received within her own family. Physical locations were too transient or hostile in her experience and therefore not suited to provide a warm and lasting refuge. Verses like "Home is only where I am with you," written in New York, or "As my home I chose love," reflect her state of mind during the years in exile very well. The latter quote from a poem she wrote in Israel is the one line in Kaléko's entire œuvre that is, if one would keep such a statistic, in all likelihood the most-cited verse she ever wrote ("Zur Heimat erkor ich mir die Liebe"; closing line in poem "The Early Years").

The following translations are based on poems that either appeared for the first time in the Schoenhof edition of *Verse für Zeitgenossen* or were published later, but were, in all likelihood, written during her years in New York.

in Israel geschrieben hat, und ist wohl diejenige Zeile in Kalékos gesamten Werk, die, wenn man eine solche Statistik führen würde, aller Wahrscheinlichkeit nach der meistzitierte Vers ist, den sie geschrieben hat (Schlusszeile im Gedicht „Die frühen Jahre").

Die nachfolgenden Übersetzungen basieren auf Gedichten, die entweder erstmals in der Schoenhof-Ausgabe von *Verse für Zeitgenossen* erschienen waren, oder die zwar später veröffentlicht wurden, aber höchstwahrscheinlich während der Jahre in New York geschrieben worden sind.

Mascha Kaléko

VERSE
FÜR ZEITGENOSSEN

Schoenhof Verlag

Cover of third book of poems *Verse für Zeitgenossen,*
published by Schoenhof Verlag, Cambridge, MA in 1945

Zeitgemässe Ansprache

Wie kommt es nur, daß wir noch lachen,
Daß uns noch freuen Brot und Wein,
Daß wir die Nächte nicht durchwachen,
Verfolgt von tausend Hilfeschrein.

Habt Ihr die Zeitung nicht gelesen,
Saht ihr des Grauens Abbild nicht?
Wer kann, als wäre nichts gewesen,
In Frieden nachgehn seiner Pflicht?

Klopft nicht der Schrecken an das Fenster,
Rast nicht der Wahnsinn durch die Welt,
Siehst du nicht stündlich die Gespenster
Vom blutigroten Trümmerfeld –?

Des Tags, im wohldurchheizten Raume:
Ein frierend Kind aus Hungerland,
Des Nachts, im atemlosen Traume:
Ein Antlitz, das du einst gekannt.

Wie kommt es nur, daß du am Morgen
Dies alles abtust wie ein Kleid
Und wieder trägst die kleinen Sorgen,
Die kleinen Freuden, tagbereit.

Die Klugen lächeln leicht ironisch:
Ça c'est la vie. Des Lebens Sinn.
Denn ihre Sorge heißt, lakonisch:
Wo gehn wir heute abend hin?

Und nur der Toren Herz wird weise:
Sieh, auch der große Mensch ist klein.
Ihr lauten Lärmer, leise, leise.
Und laßt uns sehr bescheiden sein.

(1942)

Timely Speech

How come that we are laughing yet,
That bread and wine still bring us cheer,
That we're not up all night in bed,
Chased by the thousand screams we hear.

Have you not read the paper yet,
Not seen the horror's images?
Who can, with no sign of upset,
Go on to live in peacefulness?

Does not the terror knock on windows,
Does not sheer madness rage the world,
Don't you see hourly and up-close
From blood-red ruins ghosts unfurled?

By day, in warm and cozy places:
A freezing child from Hungerland,
At night, in breathless dreaming phases:
A face that you once knew first-hand.

How come that you, when morning breaks,
Can strip all this just like a dress
And wear again these little headaches,
The little joys, with readiness.

The smart ones' grin's a bit ironic:
Ça c'est la vie. Our life's intent.
For their big worry's quite laconic:
Which club tonight should we attend?

And just the fools' hearts turn to prudence:
That even great men are small, see.
You noisy big-mouths, silence, silence.
And let us show some modesty.

(1942)

Auf einer Bank

In jenem Land, das ich einst Heimat nannte,
Wird es jetzt Frühling wie in jedem Jahr.
Die Tage weiß ich noch, so licht und klar,
Weiß noch den Duft, den all das Blühen sandte,
Doch von den Menschen, die ich einst dort kannte,
Ist auch nicht einer mehr so, wie er war.

Auch ich ward fremd und muß oft Danke sagen.
Weil ich der Kinder Spiel nicht hier gespielt,
Der Sprache tiefste Heimat nie gefühlt
In Worten, wie die Träumenden sie wagen.
Doch Dank der Welle, die mich hergetragen,
Und Dank dem Wind, der mich an Land gespült.

Sagst du auch *stars*, sind's doch die gleichen Sterne,
Und *moon*, der Mond, den du als Kind gekannt.
Und Gott hält seinen Himmel ausgespannt,
Als folgte er uns nach in fernste Ferne,
(Des Nachts im Traum nur schreckt die Mordkaserne)
Und du ruhst aus vom lieben Heimatland.

(1940)

On a Bench

Within the land that I once called my homeland,
It now turns spring the way it does each year.
I still know well those days, so bright and clear,
Still know the smell that all this blooming sent.
But of the people there I once called friend,
Is not a single one as they once were.

I too felt strange and often must say thank-you.
For I had not played here the children's game,
Not felt the home that language can proclaim
In words that dreamers dare without ado.
But praise the wave that carried me here, too,
And praise the wind that aimed at this terrain.

You may say "stars," but it's the very starlight,
And "moon," the moon you knew in childhood there.
And God has his vast sky stretched ev'rywhere,
As if he followed us to any site,
(In dreams, though, murder-barracks scare at night)
And you rest from your homeland sweet and dear.

(1940)

Frühlingslied für Zugereiste

Liebes fremdes Land, Heimat du, wievielte.
Park so grün wie dort, wo als Kind ich spielte.
Erster Duft im Strauch. Schüchterne Platanen.
Müßt ihr immer mich an daheim gemahnen?
Alles um mich her blüht im Sonnenlicht.
Doch der Frühling hier ist mein Frühling nicht.

Sagtest du: daheim? Räuber sind gekommen,
Haben Licht und Luft und Daheim genommen.
Amsel, Fink und Star sitzen eingefangen.
Hör noch, wie daheim Küchenmädel sangen:
„Wenn der weiße Flieder –
wieder blüht…"
Ach, er blühet leider nur im Lied.

Lieber fremder Baum. Weiß nicht deinen Namen,
Weil wir von weither, aus dem Gestern, kamen.
Wenn bei uns daheim dunkle Weiden weinen,
Junge Birke lacht, weiß ich, was sie meinen.
Fremder Vogel du, – sangest süß, verzeih,
Ist so trüb mein Herz. Wartet auf den Mai.

Träumt der Tor vom Mai: Alle Glocken klingen.
Schwalben ziehn im Blau. Kerkermauern singen.
Seht, die Bäume blühn, wo sie Wurzel schlugen.
Mütter, wo sie einst ihre Kinder trugen,
Wiegen sie zur Nacht. Väter kehren heim.
Und der Frühlingswind rauscht den alten Reim.

(1945)

Song of Spring for Newcomers

Dearest foreign place, homeland number what.
Park as green where I played as child a lot.
First new scent in shrubs. Timid trees abloom.
Do you always have to recall my home?
All around me blooms, sunlight ev'rywhere
But the springtime here is not my spring there.

Did you say: my home? Robbers came one day,
Took all light and air and my home away.
Blackbird, finch and stare captured and afraid.
Still hear how at home sang the kitchen maid:
"When the snow-white lilacs –
bloom erelong…"
But, alas, they only bloom in song.

Dearest foreign tree. Don't know what's your name.
'Cause from yesterday, from afar we came.
When where we're at home, willows weep unseen
Youthful birch tree laughs, I know what they mean.
Unknown bird, forgive – you sang sweet and gay,
Is so sad my heart. Waits again for May.

Dreams the fool of May: All the bells will ring.
Swallows fly up high. Dungeon-walls will sing.
See, the trees will bloom, where their first roots lie.
Mothers, where they once held their children nigh,
Rocking them at night. Fathers come at last.
And the breeze of spring murmurs rhymes of past.

(1945)

Mit auf die Reise

Ich kann dir keinen Zauberteppich schenken,
Noch Diamanten oder edlen Nerz,
Drum geb ich dir dies Schlüsselchen von Erz,
Dazu mein ziemlich gut erhaltnes Herz
Zum Anmichdenken.

Ich kann dir keine braven Socken stricken,
Und meine Kochkunst würde dich nur plagen.
Drum nimm den Scherben rosarotes Glas,
Der führt ins Märchenland Ichweissnichtwas
An grauen Tagen.

Ich kann dir nicht Aladdins Lampe geben,
Kein „Sesam" und auch keinen Amethyst.
Doch weil dein Herz mir Flut und Ebbe ist,
Hier: diese Muschel, schimmernd, wie von Tränen
Zum Nachmirsehnen.

(1945)

Along on the Journey

A magic carpet I can't give to thee,
No fancy mink or diamonds galore,
So I'll give thee this tiny key of ore,
Besides my fairly well-kept heart, therefore
To think of me.

I cannot knit fine socks for you, I can't,
And how I cook would plague you, not amaze.
So take this shard of reddish glass I got,
It leads to fairyland Idontknowwhat
On grayish days.

I cannot give Aladdin's lamp to thee,
No "Sesame," nor amethyst's faint glow.
But since thy heart to me is high tide, low
Here: this shell, shimm'ring just like tears would be
To long for me.

(1945)

Das berühmte Gefühl

Als ich zum ersten Male starb,
– Ich weiß noch, wie es war.
Ich starb so ganz für mich und still,
Das war zu Hamburg, im April,
Und ich war achtzehn Jahr.

Und als ich starb zum zweiten Mal,
Das Sterben tat so weh.
Gar wenig hinterließ ich dir:
Mein klopfend Herz vor deiner Tür,
Die Fußspur rot im Schnee.

Doch als ich starb zum dritten Mal,
Da schmerzte es nicht sehr.
So altvertraut wie Bett und Brot
Und Kleid und Schuh war mir der Tod.
Nun sterbe ich nicht mehr.

(1945)

That Famous Feeling

When I was dying my first time,
 – I can recall that scene.
I died alone and very still,
That was in Hamburg's April-chill,
And I was just eighteen.

And when I died the second time,
The dying hurt me so.
What I left you is rather poor:
My beating heart outside your door,
Red footprints in the snow.

But when I died death number three,
It pained less than before.
Familiar as bread and bed,
And skirt and shoe was being dead.
Now I don't die e'er more.

(1945)

Alle 7 Jahre

In den weisen Büchern habe ich gelesen:
Alle sieben Jahre wandelt sich dein Wesen.
Alle sieben Jahre, merket, Mann und Weib,
Wandelt sich die Seele, wandelt sich der Leib.

Wandelt sich dein Hassen, wandelt sich dein Lieben.
Und ich zählte heimlich: drei Mal, vier Mal sieben.
Ach, die Geister kamen. Und mein Ohr vernimmt:
Alle sieben Jahre… Siehe da, es stimmt.

Sorgenvoll betracht ich alle Liebespaare.
Ob sie es wohl wissen: Alle sieben Jahre…!
Selbst in deinen Armen fragt mein Schatten stumm:
Wann sind wohl, Geliebter, unsre sieben um?

(1944)

Every 7 Years

Reading in the wise books, this is what I'm seeing,
Every seven years changes all your being.
Every seven years, notice wives and men,
Changes all the body and the soul again.

Changes all your loving, all your hate and more.
And I count in secret: three times seven, four.
Ah, the ghosts were coming. And my ears hear too:
Every seven years… Yes, I see, it's true.

Anxiously I'm watching couples hand in hand.
Every seven years… do they understand?
Even in your arms, my shadow asks aghast:
How much longer will, my love, our seven last?

(1944)

Der kleine Unterschied

Es sprach zum Mister Goodwill
ein deutscher Emigrant:
„Gewiß, es bleibt dasselbe,
sag ich nun *land* statt Land,
sag ich für Heimat *homeland*
und *poem* für Gedicht.
Gewiß, ich bin sehr happy:
Doch glücklich bin ich nicht."

(1940?)

The Slight Difference

Thus spoke to Mr. Goodwill
A German emigrant:
"Of course, it stays the same
if I say *Land*, not land,
if I say home, not *Heimat*,
and poem for *Gedicht*.
Of course, I'm very happy:
But I am not glücklich."

(1940?)

Im Volkston

Nun bin ich worden fünfzig Jahr
Und muß bald scheiden. Schon?
Wie kurz das liebe Leben war.
Was lieb ist, eilt davon.

Herr, der du unsre Herzen zwei
Gefügt zu einem Stück,
Ist meines Liebsten Zeit vorbei,
So nimm auch mich zurück.

(1957?)

In Popular Speech

Now I have just turned fifty years
And soon must part. So fast?
How quickly this life disappears.
What's precious does not last.

Lord, you who has his heart and mine
United into one,
When you call home my valentine,
Let me as well be done.

(1957?)

Memento

Vor meinem eignen Tod ist mir nicht bang,
Nur vor dem Tode derer, die mir nah sind.
Wie soll ich leben, wenn sie nicht mehr da sind?

Allein im Nebel tast ich todentlang
Und laß mich willig in das Dunkel treiben.
Das Gehen schmerzt nicht halb so wie das Bleiben.

Der weiß es wohl, dem gleiches widerfuhr;
– Und die es trugen, mögen mir vergeben.
Bedenkt: den eignen Tod, den stirbt man nur,
Doch mit dem Tod der andern muß man leben.

(1956)

Memento

The fear of my own death is not that strong,
It's just the deaths of those who I adore.
How shall I live when they are here no more?

Alone through fog I fumble deathalong
Get pushed into the dark while I'm obeying.
The leaving hurts not half as much as staying.

He knows it well who can identify;
– And those enduring it may please forgive.
Just think: one's own death one just has to die,
But with the death of others one must live.

(1956)

Nachts

I.

Es hat an meine Tür geklopft.
Ich wagte kein „Herein"!
Doch klopfte es ein zweites Mal,
Ich sagte wohl nicht nein.

Noch war das Sterben mir so fremd.
Das war, als es begann.
Doch, schläft man oft im Totenhemd,
Gewöhnt man sich daran.

II.

Die Nacht,
In der
Das Fürchten
Wohnt,

Hat auch
Die Sterne
Und den
Mond.

(Nachlass, o.D.)

At Night

I.

There was a knocking at my door.
"Come in!" I dared not say.
But if it knocked a second time,
I'd say perhaps not nay.

To me, the dying was still odd,
When it began, that is.
But if one sleeps in shrouds a lot,
One will get used to this.

II.

The night,
In which
The fear's all
Strewn

Has also
Starlight
And the
Moon.

(lit. rem., N.D.)

4. Kapitel

„Daß jede Rose Dornen hat, / Scheint mir kein Grund zu klagen"
Flucht in die Sprache und Wortspielereien

Was gestern „morgen" war, ist heute „heute"
Was heute „heute" ist, wird morgen „gestern" sein.

(Auszug aus „Trinkspruch")

Eine etwas eigentümliche Art von Gedichten, die Mascha Kaléko zum größten Teil in New York geschrieben hat, ist eine Sammlung von Versen über Tiere, Blumen, Gemüse und anderen Pflanzen. Hier spielte sie mit Sprache und Themen mehr als jemals zuvor oder danach. Viele dieser Texte scheinen für ein jüngeres Publikum geschrieben worden zu sein, aber wie so oft in Kalékos Dichtung erkennt man, wenn man etwas genauer hinschaut und zwischen den Zeilen zu lesen versucht, dass ein bestimmter Text mehr enthält, als man beim ersten Lesen zu erkennen glaubt.

Humor, Ironie und ein melancholischer Unterton, alles wichtige Bestandteile in Kalékos frühen Berliner Gedichten – und oft verschwunden in den meisten ihrer Exilgedichte –, fanden durch diese Verse den Weg zurück in ihre Dichtung. Hier spielte sie mit Wörtern und Redewendungen, erkannte menschliche Qualitäten in Tieren und Pflanzen, und verlegte viele ihrer alltäglichen Beobachtungen in die Eigenschaften anderer Lebewesen.

Neben Gedichten über Tiere und Pflanzen schrieb Kaléko eine Reihe von Kinderversen während ihrer frühen Jahre in New York. Ihr Sohn Steven mag die Hauptinspiration für viele dieser kreativen Texte gewesen sein, aber einige von diesen gehen deutlich über eine einfache „kindische" Qualität hinaus. Man kann wohl annehmen, dass diese Verse, wie auch diejenigen mit Verbindungen zur Tier- und Pflanzenwelt, für Kaléko selber als wichtige literarische Auswege aus dem oftmals schwierigen Exilantendasein gedient haben mögen.

Chapter 4

"That there's no rose without a thorn, / Seems no ground for despair"
Escape into language and play with words

What yesterday was "tomorrow," today is "today"
What today is "today," tomorrow will be "yesterday."

(excerpt from "A Toast")

One rather peculiar type of poetry that Mascha Kaléko wrote for the most part in New York is a collection of verses about animals, flowers, vegetables, and other plants. Here, she played with language and subject matter more than ever before or later. It seems that many of these texts were written for a younger audience, but, as it is the case with much of Kaléko's work, if one looks more closely, and tries to read between the lines, one realizes that there may be more to a certain text than meets the eye.

Humor, irony, and the melancholic undertones that were integral parts of Kaléko's early work in Berlin – and often absent in most of the exile writings – found their way back into her poetry through these verses. She played with words and idiomatic expressions, found human qualities in animals and plants, and transposed many of her day-to-day observations onto other living beings.

Besides poems about animals and plants, Kaléko wrote a number of children's verses during her early years in New York. Her son Steven may have been the primary inspiration for many of these creative texts, but some of them go clearly beyond a simple "childish" quality. It can be argued that they, as well as those depicting animals and plants, may have served as an important literary-based outlet for Kaléko herself from the often difficult exile life.

Writing about these subjects and utilizing a mostly innocent language may have helped her in some way to get her mind off everyday challenges, and made it easier to deal with the grave news arriving from

Das Schreiben über derartige Motive, und die Verwendung einer vornehmlich naiven Sprache, halfen ihr in gewisser Weise die Gedanken von den alltäglichen Herausforderungen abzulenken, und sie haben es ihr wohl erleichtert, mit den schlimmen Nachrichten aus Deutschland und anderen Teilen Europas fertig zu werden. Diese Verse mögen das „Gespräch über Bäume" sein, das ein anderer deutscher Exilant und Schriftsteller, Bertolt Brecht, als ein Verbrechen verurteilt hatte („weil es ein Schweigen über so viele Untaten einschließt"), aber für Kaléko waren sie hauptsächlich ein sehr persönlicher Ausweg und eine Ablenkung, die sie allerdings nicht völlig davon abhielten, deutlichere Gedichte zu schreiben über das, was wirklich in ihr selber vorging und in der Welt um sie herum, die so sträflich und folgenschwer aus dem Gleichgewicht geraten war.

Während viele der nachfolgenden Gedichte in den frühen Jahren im Exil geschrieben worden waren, kam es zu Veröffentlichungen erst später, in einigen Fällen sogar erst nach dem Tod der Dichterin. Die meisten der Tier-Gedichte erschienen 1961 in einem Buch mit dem Titel *Der Papagei, die Mamagei und andere komische Tiere*, das die folgende Widmung für ihren Sohn enthielt: „Für Steven und das Hündchen, das er nie bekam...". Die Gedichte über Pflanzen wurden 1976 nach Kalékos Tod in dem Buch *Feine Pflänzchen* veröffentlicht und viele ihrer Kinderverse erschienen 1971 mit dem Titel *Wie's auf dem Mond zugeht*. Dieses Buch wurde als ein hochwertig hergestelltes und illustriertes Kinderbuch 1982 erneut herausgegeben. Die Widmung lautet hier: „Meinen besten Freunden: Den Kinder – und ihren Eltern". Viele der Verse in diesem Kapitel wurden später in das Buch *Die paar leuchtenden Jahre* (2003) aufgenommen.

Germany and other parts of Europe. These poems may be a "conversation about trees" that another German exiled writer, Bertolt Brecht, had denounced as almost criminal ("because by doing so we maintain our silence about so many wrongdoings"), but for Kaléko they mainly functioned as a very personal outlet and a distraction that did not keep her entirely from writing straight-talking poems about what was really going on within herself and in the world around her so vastly and violently out of balance.

While many of the following poems were written during the earlier years in exile, the actual publications appeared later, some even after the poet's death. Most of the animal verses were published in 1961 in a book titled *Der Papagei, die Mamagei und andere komische Tiere* ("Pa-Parrott and Ma-Parrot and Other Peculiar Animals") with a dedication to her son: "For Steven and the puppy he never got...". The poems about plants appeared after Kaléko's death in the 1976 book *Feine Pflänzchen* ("Pleasing Plants"), and many of her children's verses were published in 1971 in a book titled *Wie's auf dem Mond zugeht* ("What's Happening on the Moon"). This book was re-published in 1982 as a high-quality, illustrated children's book. The dedication reads: "For my best friends: children – and their parents." Many of the poems presented in this chapter were later included in *Die paar leuchtenden Jahre* ("These Few Shining Years").

Advent

Der Frost haucht zarte Häkelspitzen
Perlmuttergrau ans Scheibenglas.
Da blühn bis an die Fensterritzen
Eisblumen, Sterne, Farn und Gras.

Kristalle schaukeln von den Bäumen,
Die letzten Vögel sind entflohn.
Leis fällt der Schnee ... In unsern Träumen
Weihnachtet es seit gestern schon.

(1966?)

Advent

The frost is breathing lacy patches
Perlmutter-gray on panes of glass.
There bloom close to the window's edges
Ice flowers, star shapes, ferns, and grass.

Shaped crystals swing from trees still gleaming,
Remaining birds have gone away.
The snow falls softly ... when we're dreaming
There's Christmas here since yesterday.

(1966?)

Der Mann im Mond

Der Mann im Mond hängt bunte Träume,
Die seine Mondfrau spinnt aus Licht,
Allnächtlich in die Abendbäume,
Mit einem Lächeln im Gesicht.

Da gibt es gelbe, rote, grüne
Und Träume ganz in Himmelblau.
Mit Gold durchwirkte, zarte, kühne,
Für Bub und Mädel, Mann und Frau.

Auch Träume, die auf Reisen führen
In Fernen, abenteuerlich.
– Da hängen sie an Silberschnüren!
Und einer davon ist für dich.

(1966?)

The Man in the Moon

Man in the moon hangs colored dreams, see,
Spun by his moon wife out of light,
At dusk into the ev'ning tree,
His face is smiling ev'ry night.

There are some red and green and yellow
And dreams completely in sky-blue.
With gold, some daring, others mellow,
For boy and girl, man, woman, too.

And even dreams that take you trav'ling
To lands adventurous and new.
– On silv'ry strings they hang there waving!
And one of those is just for you.

(1966?)

Der Flamingo

Ich traf einmal – in San Domingo
Am Meeresstrande 'nen Flamingo.
Gewiß, der Ort ist sehr entlegen.
Doch war es dort! Des Reimes wegen.

(1961)

Der Storch

Der Storch, der Storch …
Den gibt es nicht!
Der ist ein Ammenmärchen,
Das man den Kindern vorerzählt.

Dran glauben – tun die Pärchen!

(1961)

Bei Känguruhs

Wird Känguruh Papa, so droht
Ihm selten nur die Wohnungsnot.
– Denn Känguruh-Mama hat immer
Ein *eingebautes* Kinderzimmer.

(1961)

The Flamingo

One day I met – in San Domingo,
Right on the beach, a pink flamingo.
The place's far off, I must admit.
But there it was! The rhyme must fit.

(1961)

The Stork

The stork, the stork …
There's no such thing!
It is a fairy tale naïve,
That you would tell your kids at night.

A myth – that couples believe!

(1961)

At Home with Kangaroos

If kangaroo becomes papa,
A housing shortage is afar.
– 'Cause kang'roo-mom has always been
Equipped with nurs'ry all *built-in*.

(1961)

Krokodilemma

Im Schaufenster das Krokodil
Hat Tränen viel verloren.
Umsonst: Es war im fernen Nil
Zur Brieftasche geboren.

(1961)

Die Schildkröte

Wie wär ihr Dasein doch beschaulich!
– Wär sie nur nicht so leicht verdaulich.

(1961)

Crocodilemma

The glass case shows the crocodile
Had many tears to cry.
In vain: 'twas born in far 'way Nile
To be a purse and die.

(1961)

The Turtle

How would its life be contemplative!
– Were not the soup so stimulative.

(1961)

Erbsen

Prinzessin auf der Erbse sprach:
Das sticht ja wie 'ne Nadel …!
So ward die Erbse allgemach
Zum Prüfstein für den Adel.
Es schwärmt der preußische Gourmet
Für Pökelkamm mit Erbspüree.
(Prinzessinnen und Grafen
Die können drauf nicht schlafen.)

(Nachlass. o.D.)

Peas

Thus spoke the princess on the pea:
This pricks like needle-pins, alas …!
So peas became eventually
A touchstone for the upper class.
Now revel Prussian food gourmets
In pickled meats with pea-purées.
(For princess, then, and count
There's no sleep to be found.)

(lit.rem., N.D.)

Erika

Der Heideblume Erika
Gedacht ich in Amerika.
Ob ich – wenn sie sich nicht drauf reimte –
Wohl ebenfalls von ihr dort träumte?

(Nachlass, o.D.)

Rosen

Daß jede Rose Dornen hat,
Scheint mir kein Grund zu klagen,
Solange uns die Dornen nur
Auch weiter Rosen tragen.

(Nachlass, o.D.)

Erica

On moorland's flower Erica
I mused oft in America.
Would I – if rhyming was less perfect –
Have dreamed there of that very object?

(lit.rem., N.D.)

Roses

That there's no rose without a thorn,
Seems no ground for despair,
As long as thorns keep bearing us
New roses everywhere.

(lit.rem., N.D.)

5. Kapitel

„Wohin ich immer reise, / Ich komm nach Nirgendland"
Leben in Jerusalem und das letzte Jahr

Mir ist zuweilen so als ob
Das Herz in mir zerbrach.
Ich habe manchmal Heimweh.
Ich weiss nur nicht, wonach…

(Auszug aus: „Emigranten-Monolog")

Gerade als Greenwich Village „so etwas wie ein zweites Zuhause" für die Familie geworden war, zogen Kaléko und ihr Mann fort, um (wieder einmal) an einem Ort neu zu beginnen, der fremdartiger war, als es New York City jemals gewesen war. Später sagte sie in einem Interview, dass „das Land unserer Väter" 1959 eine natürliche Wahl gewesen sei, und vielleicht galt dies auch für ihren Mann, der dort seine lebenslangen Musikstudien beenden und sein zweites große Forschungsprojekt (die *Anthology of Hassidic Music* erschien 1986 posthum) abschließen konnte. Aber für Kaléko selbst musste der Umzug nach Israel in vielerlei Hinsicht wie ein Schritt ganz zurück an den Anfang gewesen sein.

Jerusalem war kulturell und klimatisch ein sehr ungewohnter Ort und für Kaléko wurde es nie so etwas wie ein Zuhause. Auch wenn das Leben unter den vielen jüdischen Einwanderern, einige von diesen kannte sie sogar aus ihren frühen Jahren in Berlin, in gewisser Weise wie ein Heimkommen gewesen sein mag, waren viele der Exilprobleme, die sie in New York hatte schließlich überwinden können, jetzt wieder präsent. Die Sprachbarriere, das Heimweh, das Finden von Freunden, Veröffentlichungen ihrer Gedichte – all dies musste nun irgendwie erneut gemeistert werden. Die Tatsache, dass sie kein Hebräisch sprach, erschwerte die Dinge von Anfang an.

Kaléko und ihr Ehemann reisten häufig nach Europa, vor allem nach Berlin. Manche dieser Reisen erstreckten sich über mehrere Monate, um der Sommerhitze in Jerusalem zu entkommen. Sie las ihre

Chapter 5

"No matter where I travel, / I come to Nowhereland"
Life in Jerusalem and the final year

At times I feel a bit as if
My heart broke up a lot.
I'm now and then quite homesick.
I just don't know for what...

(excerpt from: "Emigrant's Monologue")

Just when Greenwich Village had become "something like a second home" for the family, Kaléko and her husband moved away to start anew (again) in an even stranger place than New York City ever was. She would later say in an interview that "the land of our fathers" was the obvious choice in 1959, and perhaps that was true for her husband, who could finish his lifelong music studies and complete his second major research project (the *Anthology of Hassidic Music* was published posthumously in 1986). But for Kaléko herself the move to Israel must have been, in many ways, a step back to square one.

Jerusalem was a culturally and climatically very foreign place for her and Kaléko never found it to be a home. Even if, in the beginning, living among the many Jewish immigrants, a few of whom she even knew from back in Berlin, was in some ways like coming home, many difficulties of exile that she had been able to overcome in New York were now present again. The language barrier, homesickness, finding friends, publishing her poetry – all this needed to be mastered anew somehow. The fact that she did not speak any Hebrew made things more difficult from the beginning.

Kaléko and her husband traveled to Europe frequently, especially to Berlin. Some trips lasted many months in order to escape the summer heat in Jerusalem. She read from her work in public, promoted her books, and gave interviews. The idea to move back to Berlin seems to have been on the couple's mind often during these years, but learning

Gedichte auf öffentlichen Veranstaltungen, machte Werbung für ihre Bücher und gab Interviews. Der Gedanke wieder nach Berlin zu ziehen, scheint das Ehepaar während dieser Jahre oft beschäftigt zu haben, aber das Bekanntwerden von immer mehr Gräueltaten, die während des Nazi-Terrors auf deutschem Boden begangen worden waren, und dann im Jahr 1961 die Errichtung einer Mauer zur Teilung der Stadt, dämpften diese Pläne.

Während der 60er Jahre verbrachte Kaléko viel Zeit und Mühe damit, für ihre Dichtung zu werben, neue Bücher zur Veröffentlichung zu bringen, oder ältere Bücher neu auflegen zu lassen. Nicht nur aus finanziellen Gründen wollte sie eine bekannte Dichterin in Deutschland bleiben – so wie sie es gewesen war, bevor sie das Land verlassen musste, und dann erneut nach ihren ersten Reisen zurück nach Europa in den späten 50er Jahren. Aber das moderne Interesse an Lyrik in dem neuen Jahrzehnt stand weitgehend im Gegensatz zu den Gedichten, die sie damals geschrieben hatte, und die sie jetzt immer noch schrieb. Poetische Formen und Inhalte waren in ein völlig neues Zeitalter eingetreten und ließen sie als eine Außenseiterin zurück, die sich alles mit wachsendem Unglauben ansah. Kaléko war enttäuscht von der Art und Weise wie die neue Poesie „produziert" wurde, und von den Formen, die man bevorzugte. Ihre eigenen, gefühlsbetonten und einfachen Verse standen in krassem Gegensatz zur neuen, oft unzugänglichen Poesie, die ihrer Meinung nach kompliziert klingen wollte, um intelligent zu erscheinen und damit als lohnende Lektüre gelten zu können.

Erst als Exilantin ohne Heimat, und jetzt sogar als Dichterin, fühlte Kaléko sich abgehängt. Sie löste Verbindungen mit zeitgenössischen Dichtern, die die neue Richtung bevorzugten, und holte sich die Veröffentlichungsrechte vom Rowohlt Verlag zurück, dessen neue Leitung ihrer Meinung nach weder ihre Karriere noch ihre Bücher zu fördern versuchte. Dies, kombiniert mit ihrer Entscheidung 1959 den renommierten „Fontane-Preis" von der Akademie der Künste in Berlin nicht anzunehmen, weil eines der Jury-Mitglieder SS-Offizier gewesen war, entfremdete sie noch weiter. Die Zurschaustellung ihrer prominen-

more and more about the atrocities that were committed on German soil during the Nazi terror, and then, in 1961, the erecting of a wall to divide the city, put dampers on all those plans.

During the 1960s, Kaléko spent significant time and effort to promote her poetry, have new books published, or older books reissued. Not only for financial reasons did she want to remain a well-known poet in Germany – something she had been before she had to flee the country and then again after her first trips back to Europe in the late 1950s. But the modern poetic interest of the new decade was mostly adverse to the poetry she had written in the past and to what she was writing at the time. Poetic form and content had entered a vastly new era and had left her an outsider looking in with growing disbelief. Kaléko was disappointed in the way new poetry was "produced" and with the forms it favored. Her own emotional and simple verses were in sharp contrast to the now often inaccessible poetry that, in her opinion, wanted to sound complicated in order to appear intelligent and worthwhile reading.

First as an exile without a home, and now even as a poet, Kaléko felt left behind. She severed ties with contemporary poets who favored the new direction and reclaimed publishing rights from the Rowohlt Verlag whose new management, as she felt, did not promote her career or her books. This, combined with her decision in 1959 not to accept the prestigious "Fontane-Preis" by the Academy of Arts in Berlin, because one of the jury-members had been an SS-Officer, alienated her even further. Displaying her most prominent character traits – integrity, honesty, and frankness – had its price, and, as Gisela Zoch-Westphal observed correctly later, did not earn her one.

But even worse things happened to Kaléko in the 1960s. While she tried to assimilate in Israel and maintain personal and professional ties to Europe at the same time, her son Steven continued to work in New York. His parents complained often that he did not keep in contact with them; he hardly wrote and visited Israel rarely. He had become successful in his own right as a lyricist and director of shows and mu-

testen Charakterzüge – Integrität, Ehrlichkeit und Offenheit – hatte eben seinen Preis und, wie Gisela Zoch-Westphal später richtig bemerkt hat, bringt keinen ein.

Aber es gab Schlimmeres für Kaléko in den 60er Jahren. Während sie versuchte sich in Israel einzuleben, und gleichzeitig die persönlichen und beruflichen Bindungen an Europa aufrecht zu erhalten, lebte und arbeitete ihr Sohn Steven weiterhin in New York. Seine Eltern beklagten oft, dass er keinen engen Kontakt mit ihnen hielt; er schrieb kaum und besuchte sie in Israel selten. Er hatte sich seine eigene erfolgreiche Karriere als Verfasser von Liedertexten und als Regisseur von Shows und Musicals aufgebaut. In dem Jahr, in dem seine Eltern Amerika verlassen hatten, gewann er 1959 den renommierten „Obie Award" für die beste Off-Broadway-Revue („Diversions"). Später übersiedelte er nach England und arbeitete dort am Theater und fürs Fernsehen. 1964 inszenierte er sogar ein erfolgreiches Theaterstück in der Stadt, in der er geboren worden war: Berlin. In Steven vereinigten sich die Talente seiner Mutter und des Vaters – die Zusammenfügung von Worten und Musik in Harmonie – und sein Stern war immer noch steigend, als er 1968 plötzlich an einer Bauchspeicheldrüsenentzündung erkrankte und nur 31-jährig wenige Tage später starb.

Der Schock für Kaléko und ihren Mann, den geliebten Sohn so unerwartet zu verlieren, war tief und sie erholten sich davon nie wieder. Chemjo Vinaver war selbst seit Jahren von Gesundheitsproblemen geplagt und benötigte die ständige Hilfe seiner Frau. Nach dem viel zu frühen Tod des Sohnes verlor er schnell seinen Lebenswillen. Er starb im Dezember 1973 und seine Frau war nun ganz allein. Was Kaléko bereits in den frühen Jahren des Exils befürchtet hatte, war nun zur schmerzhaften Tatsache geworden: sie hatte die zwei Menschen verloren, die ihr alles bedeutet hatten.

Im Sommer 1974 reiste Kaléko noch einmal nach Berlin, vielleicht als erneuter und letzter Versuch dorthin zurückzukehren. Sie besuchte alte Freunde und Orte aus ihren jüngeren Jahren, aber sie erkannte wieder einmal, dass sich alles zu stark verändert hatte, sich selbst ein-

sicals. The year his parents had left America, he won the prestigious Obie-Award in 1959 for the best off-Broadway revue ("Diversions"). Later, he moved to Great Britain and worked for television and theater. In 1964, he even had a successful play staged in the city where he was born: Berlin. Combining the talents of his mother and father – putting words and music together in harmony –, his star was still rising when the 31-year-old suddenly fell ill with pancreatitis in June 1968 and died a few days later.

The shock for Kaléko and her husband of losing their beloved son so unexpectedly was deep, and they never recovered. Chemjo Vinaver, already plagued by his own healthproblems for many years, needed his wife's constant help, and after their son's untimely death, his spirits dissipated quickly. He died in December 1973 and his wife was now entirely alone. What Kaléko had feared already in the early years of her exile had now become painful reality: she had lost the two people who had meant everything to her.

In the summer of 1974, Kaléko traveled to Berlin once more, perhaps as a new and final attempt to move back. She visited old friends and places of her younger years but realized, again, that everything had changed too much, herself included. In addition, her own strength was now fading rapidly. On her way back to Jerusalem she stopped in Zurich, where she was held up by the news that the elevator in her apartment building in Jerusalem was temporarily out of order. Since she would not be able to climb the stairs to her 7th floor apartment, she decided to wait for the repairs to be completed. She fell ill again and needed to be hospitalized. She knew that she was dying of stomach cancer, but fought hard against the inevitable for a few weeks until she had her affairs in order. Vinaver's invaluable research results needed to be archived and prepared for publishing, and her own literary papers placed in good and responsible hands. After all this was taken care of with the help of her friend Gisela Zoch-Westpahl, Mascha Kaléko died on January 21, 1975. She was buried two days later at the Jewish Cemetery Friesenberg in Zurich.

geschlossen. Darüber hinaus ging es mit ihren eigenen Kräften jetzt schnell dem Ende entgegen. Auf der Rückreise nach Israel machte sie in Zürich Halt, wo sie durch die Nachricht aufgehalten wurde, dass der Aufzug in ihrem Wohnhaus in Jerusalem vorübergehend außer Betrieb sei. Da sie nicht in der Lage sein würde, die Treppen zur 7. Etage hinaufzusteigen, beschloss sie zu warten, bis die Reparaturen abgeschlossen seien. Sie wurde erneut krank und musste in ein Hospital eingeliefert werden. Sie wusste, dass sie an Magenkrebs starb, kämpfte aber einige Wochen lang gegen das Unvermeidliche, bis sie ihre Angelegenheiten in Ordnung gebracht hatte. Vinavers unschätzbare Forschungsergebnisse mussten archiviert und für eine Veröffentlichung vorbereitet werden, und ihre eigenen literarischen Arbeiten mussten in gute und verantwortungsvolle Hände gelegt werden. Nachdem all dies mit Hilfe ihrer Freundin Gisela Zoch-Westphal besorgt war, starb Mascha Kaléko am 21. Januar 1975. Zwei Tage später wurde sie auf dem jüdischen Friedhof Friesenberg bei Zürich begraben.

Die Gedichte, die Kaléko während der Zeit in Jerusalem schrieb, waren wieder ganz anders als diejenigen, die sie in früheren Jahren verfasst hatte. Die vielen inneren und äußeren Schwierigkeiten, mit denen sie an diesem fremdartigen Ort fertig werden musste, sind durch die Tatsache belegt, dass Israel als Standort in ihren neuen Gedichten kaum auftritt. Während die literarische Umstellung von Berlin auf New York in ihren frühen Schriften nach einiger Verzögerung schließlich doch eingetreten war, wurde Jerusalem nicht zum Bestandteil ihrer Dichtung. Neben vielen zutiefst persönlichen Gedichten reichen die neuen Themengebiete von kritischen Blicken auf Deutschland während und nach dem Krieg bis hin zu zynischen Darstellungen einer sich verändernden modernen Welt mit Überbevölkerung, kaltem Krieg, Drogen und allgemeinem Verfall.

Im letzten Jahr ihres Lebens schrieb Kaléko plötzlich viele neue Gedichte. Diese waren vor allem über Alter, Einsamkeit, und Ernüchterung, und sie zeigten ihre Ungeduld mit den Mitmenschen und die Müdigkeit des eigenen Lebens. Außerdem schrieb sie einige autobiografische Gedichte zu

The poetry that Kaléko wrote while living in Jerusalem was, again, very different from what she had written in earlier years. The many internal and external difficulties she experienced in this new foreign place are indicated by the fact that Israel as a location hardly entered her new poems. While the literary transition from Berlin to New York in her earlier writings had eventually occurred after some delay, bringing Jerusalem into her poetry did not happen. Apart from many deeply personal poems, her new themes ranged from critical looks at Germany during and after the war to cynical depictions of the changing modern world with overpopulation, cold war, drugs, and overall decay.

In the final year of her life, Kaléko suddenly wrote many new poems. These were mostly about old age, loneliness, disillusion, and being tired of other people and of her own life. She also created a few autobiographical poems depicting her own younger self, as well as texts about her relationship with Chemjo and its utmost importance for her own existence. Some of these showed painfully clear how much he had meant to her. The rhythm was lost in many of these late poems, just as it was lost in her life. Along with the loss of her family and any confidence in the future, the rhyme, seen in most of her earlier works, was now often gone as well.

The following translations are mainly based on poems that were found in her Jerusalem apartment after Kaléko's death and published 1977 in a book titled *In meinen Träumen läutet es Sturm* ("Bells Keep Ringing in My Dreams").

ihrer Jugendzeit sowie Texte über ihre Beziehung zu Chemjo, in denen die außerordentliche Wichtigkeit für ihr eigenes Dasein nachdrücklich zum Ausdruck kommt. Manche von diesen zeigen schmerzhaft deutlich, wie viel er ihr bedeutet hatte. Der Rhythmus in vielen dieser späten Gedichte ist verloren gegangen, so wie er nun ebenfalls in ihrem Leben verloren gegangen war. Zusammen mit dem Verlust ihrer Familie und jedes Vertrauens in die Zukunft war nun sogar oft der Reim, den man in den meisten ihrer früheren Gedichte gesehen hatte, verschwunden.

Die nachfolgenden Übersetzungen basieren hauptsächlich auf Gedichten, die in ihrer Jerusalemer Wohnung nach Kalékos Tod gefunden wurden und 1977 in dem Buch *In meinen Träumen läutet es Sturm* veröffentlicht wurden.

Mascha Kaléko:
In meinen Träumen läutet es Sturm

Gedichte und Epigramme aus dem Nachlaß

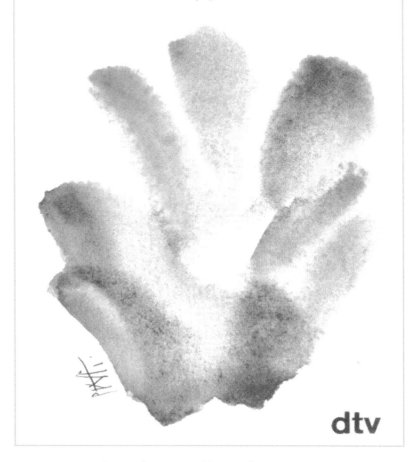

dtv

Cover of *In meinen Träumen läutet es Sturm*,
published by Deutscher Taschenbuch Verlag, Munich in 1977

Kein Kinderlied

Wohin ich immer reise,
Ich fahr nach Nirgendland.
Die Koffer voll von Sehnsucht,
Die Hände voll von Tand.
So einsam wie der Wüstenwind.
So heimatlos wie Sand:
Wohin ich immer reise,
Ich komm nach Nirgendland.

Die Wälder sind verschwunden,
Die Häuser sind verbrannt.
Hab keinen mehr gefunden.
Hat keiner mich erkannt.
Und als der fremde Vogel schrie,
Bin ich davongerannt.
Wohin ich immer reise,
Ich komm nach Nirgendland.

(1958)

Not a Children's Song

No matter where I travel,
I go to Nowhereland.
The suitcase full of longing,
Just knick-knacks in my hand.
As lonely as the desert wind.
As homeless as the sand.
No matter where I travel,
I come to Nowhereland.

The forests are all gone now,
Each home a firebrand.
Found no one left whom I know.
Not one knew me first-hand.
And when the alien bird screeched loud,
I ran, could not withstand.
No matter where I travel,
I come to Nowhereland.

(1958)

Die frühen Jahre

Ausgesetzt
In einer Barke von Nacht
Trieb ich
Und trieb an ein Ufer.
An Wolken lehnte ich gegen den Regen.
An Sandhügel gegen den wütenden Wind.
Auf nichts war Verlaß.
Nur auf Wunder.
Ich aß die grünenden Früchte der Sehnsucht,
Trank von dem Wasser das dürsten macht.
Ein Fremdling, stumm vor unerschlossenen Zonen,
Fror ich mich durch die finsteren Jahre.
Zur Heimat erkor ich mir die Liebe.

(frühe 1970er?)

The Early Years

Abandoned
In a barque of night
I drifted
And drifted upon a shore.
On clouds I leaned against the rain.
On sand hills against the wrathful wind.
Nothing could be relied upon.
Just upon miracles.
I ate the unripening fruits of longing,
Drank of the water that causes thirst.
A stranger, mute in front of undeveloped zones,
I shivered myself through the dark years.
As my home I chose love.

(early 1970s?)

Heimweh, wonach?

Wenn ich „Heimweh" sage, sag ich „Traum".
Denn die alte Heimat gibt es kaum.
Wenn ich Heimweh sage, mein ich viel:
Was uns lange drückte im Exil.
Fremde sind wir nun am Heimatort.
Nur das „Weh", es blieb.
Das „Heim" ist fort.

(frühe 1960er?)

Homesick, for What?

When I'm saying "homesick," I say "dreams."
'Cause the old home's hardly there, it seems.
When I'm saying homesick, much is said:
What in exile had us grieve and dread.
Strange we feel in hometowns now today.
Just the "sickness" stayed.
The "home's" away.

(early 1960s?)

Rezept

Jage die Ängste fort
Und die Angst vor den Ängsten.
Für die paar Jahre
Wird wohl alles noch reichen.
Das Brot im Kasten
Und der Anzug im Schrank.

Sage nicht mein.
Es ist dir alles geliehen.
Lebe auf Zeit und sieh,
Wie wenig du brauchst.
Richte dich ein.
Und halte den Koffer bereit.

Es ist wahr, was sie sagen:
Was kommen muß, kommt.
Geh dem Leid nicht entgegen.
Und ist es da,
Sieh ihm still ins Gesicht.
Es ist vergänglich wie Glück.

Erwarte nichts.
Und hüte besorgt dein Geheimnis.
Auch der Bruder verrät,
Geht es um dich oder ihn.
Den eignen Schatten nimm
Zum Weggefährten.

…weiter auf S. 138

Prescription

Chase away fear
And the fear of fear.
For these few years
It will probably all last.
The bread in the box
And the suit in the closet.

Don't call it mine.
It is all lent to you.
Live on time and see
How little you need.
Make do with it.
And keep the suitcase ready.

It is true what they say:
What will be, will be.
Don't go to meet suffering.
And if it's there,
Look calmly in its face.
It is as fleeting as happiness.

Expect nothing.
And anxiously keep your secret.
Even the brother betrays,
When it is between you or him.
Take your own shadow
As travel companion.

...continued on pg. 139

Feg deine Stube wohl.
Und tausche den Gruß mit dem Nachbarn.
Flicke heiter den Zaun
Und auch die Glocke am Tor.
Die Wunde in dir halte wach
Unter dem Dach im Einstweilen.

Zerreiß deine Pläne. Sei klug
Und halte dich an Wunder.
Sie sind lang schon verzeichnet
Im großen Plan.
Jage die Ängste fort
Und die Angst vor den Ängsten.

(1966)

Sweep your room well.
And exchange greetings with the neighbor.
Cheerfully mend the fence
And also the bell at the gate.
The wound in you keep awake
Under the roof in the meantime.

Tear up your plans. Be wise
And stick to miracles.
They are long recorded already
In the big plan.
Chase away fear
And the fear of fear.

(1966)

In meinem Hause

In meinem Hause
Wohnen zwei Schwestern.
Fragt man die beiden,
Wie es denn geht?
Lächelt die eine:
„Besser als gestern!"
Aber die andere
Seufzt voller Sorgen:
„Besser als morgen,
Besser als morgen."

*

Es hat sich nichts geändert hier:
Stets gab es Arme und Reiche.
So oft es sich geändert hat,
So oft blieb es das gleiche.

*

Mir ist so grau,
Ach, könnte man nur weinen.
Mein Herz ist so verlassen wie ein Grab.
Ich habe solche Sehnsucht nach dem Einen,
Den es, genau besehen, niemals gab.

(Nachlass, o.D.)

Within My House

Within my house
There live two sisters.
And if you ask them,
How do you do?
One of them smiling:
"Better today, thanks!"
But then the other
Sighs full of sorrow:
"Much worse tomorrow,
Much worse tomorrow."

*

There is no change at all down here:
There always were some rich, some poor.
As often as this changed around,
That often it stayed as before.

*

I feel so blue.
Oh, if one could just cry.
My heart's abandoned like a grave somewhere.
I feel such longing for that only guy,
Who was, when looking closely, never there.

(lit.rem., N.D.)

Ich und Du

Ich und Du wir waren ein Paar
Jeder ein seliger Singular
Liebten einander als Ich und als Du
Jeglicher Morgen ein Rendezvous
Ich und Du wir waren ein Paar
Glaubt man es wohl an die vierzig Jahr
Liebten einander in Wohl und in Wehe
Führten die einzig mögliche Ehe
Waren so selig wie Wolke und Wind
Weil zwei Singulare kein Plural sind.

(1974?)

You and I

You and I were truly a pair
Each of us blissful and singular
Loving another as I and as you
Every morning a rendezvous
You and I were truly a pair
Forty years almost lasts this affair
Loving each other in weal and in woe
Leading the only good marriage we know
Blissful as cloud and as wind we would quarrel
'Cause two singulars do not make a plural.

(1974?)

Keiner wartet

Alle müssen heim. Nur ich muß nicht müssen.
Keiner wartet, daß ich das Essen ihm richte.
Keiner sagt, komm, setz dich her. Wie bist du müde!
Schneidet mir keiner das Brot.

Keiner weiß, wie ich war mit achtzehn, damals.
Keiner stellt mir den ersten Flieder hin,
Holt mich vom Zug mit dem Schirm.

Ist keiner, dem ich beim Lampenlicht lese,
Was der Chinese vom Witwentum sagt:
„Die Gott liebhat, nimmt er zu sich,
Ehe er ihr den Geliebten nimmt."

(1974?)

No One Waits

All have to go home. Only I don't have to have.
No one waits that I prepare food for him.
No one says, come, sit here. How tired you are!
Nobody slices my bread.

No one knows how I was at eighteen, back then.
No one gives the first lilacs to me,
Waits for my train with umbrella.

There's no one to read by the light of the lamp
What Chinese say of widowhood:
"Whom god loves, he takes home,
Before he takes away her lover."

(1974?)

Signal

Als wir zu dritt
Die Straße überquerten,
Wurde sogar
Die Verkehrsampel
Rot.
Umstellt von der Meute
Abgasschnaubender Wagen,
Ergriff ich den Arm des einen,
Der rechts von mir ging.
Nicht den des anderen,
Dessen Ring ich trug.
Als wir zu viert
Uns jenseits der Kreuzungen
Trafen,
Wußten es alle.
Der eine. Der andere.
Das Schweigen.
Und ich.

(1971?)

Signal

When the three of us
Crossed the road,
Even
The traffic light turned
Red.
Surrounded by packs of
Exhaust-snorting cars,
I took the arm of the one,
Who walked to my right.
Not the arm of the other,
Whose ring I wore.
When the four of us
On the other side of intersections
Met,
All knew.
The one. The other.
The silence.
And I.

(1971?)

Bleibtreu heisst die Strasse

Vor fast vierzig Jahren wohnte ich hier.
…Zupft mich was am Ärmel, wenn ich
So für mich hin den Kurfürstendamm entlang
Schlendere – heißt wohl das Wort.
Und nichts zu suchen, das war mein Sinn.
Und immer wieder das Gezupfe.
Sei doch vernünftig, sage ich zu ihr.
Vierzig Jahre! Ich bin es nicht mehr.
Vierzig Jahre. Wie oft haben meine Zellen
Sich erneuert inzwischen
In der Fremde, im Exil.
New York, Ninety-Sixth-Street und Central Park,
Minetta Street in Greenwich Village.
Und Zürich und Hollywood. Und dann noch Jerusalem.
Was willst du von mir, Bleibtreu?
Ja, ich weiss. Nein, ich vergaß nichts.
Hier war mein Glück zu Hause. Und meine Not.
Hier kam mein Kind zur Welt. Und musste fort.
Hier besuchten mich meine Freunde
Und die Gestapo.
Nachts hörte man die Stadtbahnzüge
Und das Horst-Wessel-Lied aus der Kneipe nebenan.
Was blieb davon?
Die rosa Petunien auf dem Balkon.
Der kleine Schreibwarenladen.
Und eine alte Wunde, unvernarbt.

(1974)

The Street Called Bleibtreu

Almost forty years ago, I lived here.
…Something's pulling at my sleeve, when I
Just by myself walk down the Kurfürstendamm.
Strolling – this is probably the word.
To look for nothing my sole intent.
And again and again this pulling.
Just be reasonable, I tell her.
Forty years! It is not me anymore.
Forty years! How often have my cells
Renewed themselves in the meantime
In foreign places, in exile.
New York, Ninety-Sixth-Street and Central Park,
Minetta Street in Greenwich Village.
And Zurich and Hollywood. And then even Jerusalem.
What do you want from me, Bleibtreu?
Yes, I know. No, I forgot nothing.
Here my happiness was at home. And my misery.
Here my child was born. And had to leave.
Here my friends came to visit me
And the Gestapo.
At night one could hear the railway trains
And the Horst-Wessel-Song from the pub next door.
What's left of this?
The pink petunias on the balcony.
The little stationary shop.
And an old wound, unhealed.

(1974)

6. Kapitel

„Man braucht nur eine Insel / allein im weiten Meer"
Die Weisheit von M.K.

Mein schönstes Gedicht…?
Ich schrieb es nicht.
Aus tiefsten Tiefen stieg es.
Ich schwieg es.

(„Mein schönstes Gedicht")

Während verhältnismäßig viele von Kalékos Gedichten leicht zu merken sind und oft wirklich im Gedächtnis haften bleiben, sind meiner Meinung nach viele ihrer kurzen Texte, insbesondere diejenigen, die im literarischen Nachlass gefunden und nach ihrem Tod veröffentlicht wurden, besonders bemerkenswert und wahrlich unvergesslich. Mascha Kaléko (oder „M.K.", wie sich die Dichterin selbst zuweilen nannte) war eine wahre Meisterin der gereimten Vierzeiler oder Epigramme, in denen eine ganze Welt in nur wenige Worte passt. Diese Texte, viele von ihnen geschickt auf Sprichwörtern und Redensarten basierend, zeigen deutlich das tiefe Verständnis für die menschliche Natur und die Gesellschaft im Allgemeinen, das sich die Dichterin während ihres ungewöhnlichen und oft schwierigen Lebens angeeignet hatte. Aus diesem Grund habe ich mich dazu entschlossen, als abschließendes Kapitel dieser Sammlung übersetzter Gedichte einige dieser bemerkenswerten Texte als die „Weisheit von M.K." zu präsentieren. Diese kurzen Texte vereinen ihre Stärken als Dichterin: das große Talent zu beobachten und zu berichten, und ihre wunderbare Fähigkeit, Leben, Gefühle und Erfahrungen in der kürzest möglichen Form und unter Verwendung einer einfachen Sprache abzubilden.

Kalékos Darstellung der verschiedenen Arten von Menschen und Situationen, denen sie in ihrem dramatischen Leben begegnet war, reichen von Anteilnahme bis Zynismus. Was sie in ihren längeren Gedichten mit viel Detail und in sehr realistischen Situationen beschrieben hatte – der Berliner, der New Yorker, der Einwanderer, der Freund,

Chapter 6

"One only needs an island / alone and lost at sea"
The wisdom of M.K.

My best poem ever?
I wrote it never.
From deepest depth uprushed it.
I hushed it.

("My best poem ever")

While quite a few of Kaléko's poems are easy to remember and often truly "memorable," I find many of her short texts, especially those that were discovered in the poet's literary remains, and published after her death, particularly remarkable and largely unforgettable. Mascha Kaléko (or "M.K." as the poet referred to herself at times) was a true master of the rhymed four-liner or epigram that fits a whole world into just a few words. These texts, many of them cleverly based on proverbs and proverbial expressions, clearly show the intimate insight the poet had attained into human nature and society during her somewhat unusual and often troubled life. This is why, as the final chapter of this compilation of translated poems, I have decided to present a number of these remarkable texts as the "wisdom of M.K." These short writings combine her strengths as a poet: the great talent to observe and to report, and the wonderful ability to capture life, feelings, and experiences in the shortest possible format using a simple language.

Kaléko's portrayals of various types of people and situations that she had encountered in her dramatic life range from the compassionate to the cynical. What she had described in her longer poems with much detail in very realistic settings – the Berliner, the New Yorker, the immigrant, the friend, etc. –, is now concentrated in mostly four short lines of rhymed verse that condense her experiences and observations into a few telling words. The reader who knows other poems of hers can often decipher what these particular verses indirectly relate to. For

usw. –, ist hier nun zusammengefasst auf meist vier gereimte Zeilen, die ihre Erfahrungen und Beobachtungen in wenigen vielsagenden Worten darstellen. Derjenige Leser, der andere Gedichte von Kaléko kennt, mag oft entziffern können, auf was oder wen sich die jeweiligen Verse indirekt beziehen. Für die neuen Leser bieten viele dieser knappen, vollendeten und kunstvollen Texte eine Zusammenfassung von Kalékos literarischem Werk, vielleicht sogar eine Art von Abschluss, aber auf jeden Fall die einfache Möglichkeit, einige bedeutungsvolle Beispiele von M.K.s poetischem Talent und ihrer Weisheit in das eigene Leben aufzunehmen.

In diesen Texten erreicht Kaléko wirklich den Status eines Klassikers: viele davon sind unvergängliche Verse, die Zeit und Ort überwinden, in denen sie geschrieben worden waren. Sie suchen oder benötigen nicht einen Leser, der im Deutschland der 30er Jahre gelebt hat, oder als Exilant in der Fremde vor oder nach dem Krieg. Sie sprechen kraftvoll jeden Menschen an, egal welchen Alters oder Geschlechts, welcher Nationalität oder Lebenserfahrung. Gerade in unserer Zeit, als Bürger dieser Welt und als Teil der Menschheit im allgemeinen, kann der aufgeschlossene Leser in diesen Versen einiges vom Besten finden, was M.K. zurückgelassen hat; geeignet für uns in unserer schnelllebigen und schlagwortliebenden Zeit, in der das Individuum vereinsamt und Emotionen verloren gehen.

Die nachfolgenden Übersetzungen basieren auf Gedichten aus Büchern, die nach Kalékos Tod veröffentlicht wurden. Neben einigen aus dem oben bereits genannten *In meinen Träumen läutet es Sturm* habe ich Verse aus zwei weiteren Büchern verwendet, die kleine Sammlungen von Texten enthalten, in denen die erworbene Weisheit der Dichterin in wenigen einfachen Worten zusammengefasst ist. Auch hier sind die Buchtitel vielsagend in Bezug auf Kalékos allgemeinen Gemütszustand: *Das himmelgraue Poesie-Album* und *Hat alles seine zwei Schattenseiten*. Einige dieser Gedichte wurden ebenfalls später in *Die paar leuchtenden Jahre* aufgenommen.

the new readers, many of these short, highly accomplished and artful pieces offer a summary of Kaléko's literary œuvre, perhaps even a kind of conclusion, but definitely an easy way to take along some meaningful examples of M.K.'s poetic talent and wisdom into their own lives.

Here, in these verses, Kaléko achieves truly classical status: many of these are lasting poems that transcend the time or the place in which they were written. They do not seek or need a reader that has lived in Germany of the 1930s, or as an exile in foreign lands before or after the war. They speak powerfully to any individual, no matter what age, nationality, gender, or experience. Especially today, as a citizen of the world and a member of one human race, the open-minded reader may find in these verses some of the best that M.K. has left behind; suitable for us in our fast-paced and sound-bite-happy era, where the individual becomes lonely and emotions get lost.

The following translations are based on poems taken from a variety of books published after Kaléko's death. In addition to selections from the aforementioned *In meinen Träumen läutet es Sturm*, I have used poems from two other books that contain small compilations of texts that succeed in compressing the poet's acquired wisdom into a few simple words. Their titles are equally telling in terms of Kaléko's general state of mind: *Das himmelgraue Poesie-Album* ("The Sky-Gray Scrapbook") and *Hat alles seine zwei Schattenseiten* ("Has All Its Two Shady Sides"). Some of these poems were later re-published in *Die paar leuchtenden Jahre* ("These Few Shining Years").

Vorsicht – vor der Vorsicht!

Mich treibt ein dunkles Weißnichtwas,
Gefahren zu verneinen.
Ich sitz in einem Haus aus Glas –
Und werfe doch mit Steinen.

(1968)

Caution – of the Caution!

I'm forced by some indefinite
To doubt all danger's sway.
While in this house of glass I sit –
I throw stones anyway.

(1968)

Den Snobisten

Genial zu sein mag dem Genie gelingen,
Zum Snob jedoch kann es der Dümmste bringen.
Der eine tut. Der andre tut, als ob.
So unterscheidet sich der Mann vom Snob.

(1959)

To the Snobists

The genius may succeed to be a master,
To be a snob, the dumbest gets there faster.
One man achieves. The other likes to fob.
This differentiates the man from snob.

(1959)

Neue Sprichwörter & Redensunarten

Was du nicht willst, daß man dir tu,
das schieb dem Nächsten in die Schuh.

(1968)

Wer einmal lügt, dem glaubt man nicht,
und wenn er auch die Wahrheit spricht.

Ists da nicht gleich gescheiter,
man schwindelt ruhig weiter?

(1968)

Eines läßt sich nicht bestreiten:
Jede Sache hat zwei Seiten.
– Die der andern, das ist eine,
und die richtige Seite: deine.

(1968)

New Proverbs & Twisted Phrases

What you don't want them do to you,
Shove that in someone else's shoe.

(1968)

A lying man one not believes,
not even if the truth he speaks.

Is it, then, not just clever
to swindle on forever?

(1968)

One thing is clear, no arguing:
There are two sides to everything!
That of others, that's just one,
and the right side is: your own!

(1968)

Die vielgerühmte Einsamkeit

Wie schön ist es, allein zu sein!
Vorausgesetzt natürlich, man
Hat *einen*, dem man sagen kann:
„Wie schön ist es, allein zu sein!"

(1958)

Der goldene Mittelweg

Es ist durchaus nicht so, als wüßte
Ich nicht den Weg zu den güldenen Gärten.
Ich weiß sehr wohl, wie man reisen müßte.
Doch schrecken mich die Reisegefährten.

(1959)

The Much-Praised Solitude

How sweet it is to be alone!
Provided that, of course, there is
Someone to whom one can say this:
"How sweet it is to be alone!"

(1958)

The Golden Mean

It's not at all as if I don't know
The pathway to golden canyons.
I'm sure of how the journey must go,
But frightened by travel companions.

(1959)

Stickmuster-Spruch fürs Kopfkissen

Sobald man beginnt,
Gespenster zu sehen,
Und spärlich bekleidet
Spazierenzugehen,
Von Türmen zu sinken,
Im Bad zu ertrinken,
– Sobald man sich duzt
Mit Dämonen und Drachen,
Empfiehlt es sich, schleunigst
Aufzuwachen.

(Nachlass, o.D.)

Embroidered Saying for the Pillow

Once you start to see
Dark ghosts here and there
And scantily clad
You walk everywhere
And fall down from towers,
And drown taking showers,
– Once demons and dragons
Turn friends and you worry
It is recommended
To wake in a hurry.

(lit.rem., N.D.)

Im Telegrammstil

Langschweifig lamentieren Philosophen.
Ein Lyriker stirbt oft schon in drei Strophen.

(1957)

Den Utopisten

Noch, Freunde, ist es nicht soweit!
Wir leben in der „Zwischenzeit",
Da uns als höchstes aller Freuden
Genügen muß, nicht immer Schmerz zu leiden.

(Nachlass, o.D.)

In Telegram-Style

Loquacious the philosopher expanses,
The poet often dies in three stanzas.

(1957)

To the Utopians

So far, my friends, it's not yet here!
We're living in a "meantime" sphere,
Where highest joy we can attain
Is when we don't feel constant pain.

(lit.rem., N.D.)

Irgendwer

Einer ist da, der mich denkt.
Der mich atmet. Der mich lenkt.
Der mich schafft und meine Welt.
Der mich trägt und der mich hält
Wer ist dieser Irgendwer?
Ist er ich? Und bin ich Er?

(1964)

Anonym

One is there proposing me.
All disposing me does he.
Who creates me and my spheres.
Who controls me and who steers.
Well, who is this anonym?
Is he me? And am I Him?

(1964)

Mein Epitaph

MEIN EPITAPH:
VERGEBENS.
SIE STARB
AN DEN FOLGEN
DES LEBENS.

(frühe 1960er?)

My Epitaph

MY EPITAPH:
IN VAIN.
SHE DIED
AS A RESULT
OF LIFE'S PAIN.

(early 1960s?)

Der Eremit

Sie warfen nach ihm mit Steinen.
Er lächelte mitten im Schmerz.
Er wollte nur sein, nicht scheinen.
Es sah ihm keiner ins Herz.

Es hörte ihn keiner weinen,
Er zog in die Wüste hinaus.
Sie warfen nach ihm mit Steinen.
Er baute aus ihnen sein Haus.

(Nachlass, o.D.)

The Hermit

They threw at him stone after stone.
He smiled through the pain from the start.
He wanted to be, not be known.
Not one could see in his heart.

Not one saw him crying alone,
He moved to the desert's lone space.
They threw at him stone after stone.
He built with them his own safe place.

(lit.rem., N.D.)

Gute Vorsätze

„Morgen", sage ich, „morgen!"
„Übermorgen!" sogar.
Bald ist das Leben vorüber,
ohne daß „morgen" je war.

(Nachlass, o.D.)

Good Intentions

"Tomorrow," I say, "tomorrow!"
"In two days!" I even proclaim.
Soon life has passed in a hurry,
and this "tomorrow" never came.

(lit.rem., N.D.)

Das „Mögliche"

Ich habe mit Engeln und Teufeln gerungen,
genährt von der Flamme, geleitet vom Licht,
und selbst das Unmögliche ist mir gelungen,
aber das Mögliche schaffe ich nicht.

(1973?)

The "Possible"

I struggled with angels and devils, that's true,
was nurtured by fire and guided by light,
and even impossible things I could do,
but what is possible I can't get right.

(1973?)

Was man so braucht...

Man braucht nur eine Insel
allein im weiten Meer.
Man braucht nur einen Menschen,
den aber braucht man sehr.

(Nachlass, o.D.)

What You Need...

One only needs an island
alone and lost at sea.
One only needs one person,
but this to have is key.

(lit.rem., N.D.)

Anhang 1
Ausgewählte biografische Informationen und Veröffentlichungsdaten

1907	geboren am 7. Juni als Golda Malka Aufen in Chrzanów, Galizien
1909	Schwester Lea geboren
1914	Umzug nach Frankfurt/Main
1916	Umzug nach Marburg/Lahn
1918	Umzug nach Berlin (Grenadierstraße 17); Jüdische Mädchenschule (bis 1923)
1920	Schwester Rachel geboren
1922	Eltern heiraten standesamtlich; neuer Name: Mascha Engel
1923	Beginn einer Ausbildung zur Bürokauffrau
1925	Anstellung als Sekretärin beim Arbeiterfürsorgeamt der jüdischen Organisationen Deutschlands
1926	belegt Kurse in Psychologie und Philosophie an Berliner Universitäten; Begegnung mit dem Philologen Saul Kaléko
1928	heiratet Saul Kaléko am 31. August
1929	veröffentlicht zwei Gedichte in der Zeitschrift *Der Querschnitt*
1930	bis Ende 1932: Gedichte erscheinen regelmäßig in Tageszeitungen und Zeitschriften
1933	Januar: *Das lyrische Stenogrammheft* erscheint beim Rowohlt Verlag
1934	belegt Werbefachkurse an der Reimann Schule; zweiter Gedichtband erscheint beim Rowohlt Verlag: *Kleines Lesebuch für Große*
1935	8. August: die Reichsschrifttumskammer schließt Kaléko aus dem Reichsverband deutscher Schriftsteller aus; Begegnung mit dem Musikologen, Dirigenten und Komponisten Chemjo Vinaver
1936	Umzug mit Saul Kaléko zur Bleibtreustraße 10/11; 28. Dezember: Geburt von Mascha und Chemjos Sohn Evjatar
1937	9. Januar: Behörden informieren den Rowohlt Verlag vom Verbot der Schriften Kalékos
1938	22. Januar: Scheidung von Saul Kaléko; 28. Januar: Heirat mit Chemjo Vinaver; März/April: Kaléko reist nach Palästina, um

Appendix 1
Selected Biographical Data and Publication Dates

1907	born June 7 as Golda Malka Aufen in Chrzanów, Galicia
1909	sister Lea born
1914	moves to Frankfurt/Main
1916	moves to Marburg/Lahn
1918	moves to Berlin (Grenadier Strasse 17); attends Jewish Girlschool (through 1923)
1920	sister Rachel born
1922	parents marry legally; new name: Mascha Engel
1923	starts apprenticeship program in office administration
1925	begins working as a secretary in Jewish welfare agency
1926	attends lectures in psychology and philosophy at Berlin universities; meets the linguist Saul Kaléko
1928	marries Saul Kaléko on August 31
1929	2 poems are published in the magazine *Der Querschnitt*
1930	through 1932: poems are printed regularly in newspapers and magazines
1933	January: a book of poems is published by Rowohlt Verlag: *Das lyrische Stenogrammheft*
1934	takes classes at Reimann Schule in advertising; 2nd book of poems is published by Rowohlt Verlag: *Kleines Lesebuch für Große*
1935	August 8: excluded from the State's Literary Guild; meets musical scholar, conductor, and composer Chemjo Vinaver
1936	moves with Saul Kaléko to Bleibtreustrasse 10/11; December 28: Mascha and Chemjo's son Evjatar is born
1937	January 9: authorities contact Rowohlt Verlag and prohibit the distribution of Kaléko's works
1938	January 22: divorce from Saul Kaléko; January 28: marriage to Chemjo Vinaver; March/April: Kaléko travels to Palestine to visit her parents and siblings and contemplates emigration; September: family leaves Germany via Hamburg and Paris;

Eltern und Geschwister zu besuchen, erwägt die Emigration; September: die Familie Kaléko/Vinaver verlässt Deutschland über Hamburg und Paris; besteigt das Schiff „Britannic" in LeHavre am 14. Oktober; 23. Oktober: Ankunft in New York City (erster Wohnsitz: 378 Central Park West)

1939   Chemjo gründet den „Vinaver Choir"; Kaléko übernimmt Management von vielen seiner Aktivitäten

1940   Juli: Umzug nach Hollywood, Kalifornien

1941   Januar: Rückkehr nach New York City (Wohnsitz bis August: 245 East 11 Street, dann Umzug nach 253 West 16th Street)

1942   Umzug in eine neue Wohnung: 1 Minetta Street, Greenwich Village, New York

1944   20. November: Kaléko wird amerikanische Staatsbürgerin

1945   dritter Gedichtband *Verse für Zeitgenossen* erscheint beim Schoenhof Verlag, Cambridge, MA

1952   Reise mit Chemjo nach Israel und Paris

1955   31. Dezember: Kaléko besteigt Schiff für Reise von New York nach Bremerhaven, Deutschland

1956   Februar: Neuausgabe ihrer ersten zwei Bücher durch den Rowohlt Verlag. Kaléko reist durch große Teile Deutschlands; Dezember: Rückkehr nach New York City

1958   Rowohlt Verlag veröffentlicht deutsche Version von *Verse für Zeitgenossen*; September: Kaléko und Vinaver reisen nach Berlin

1959   Mai: Kaléko weist einen Literaturpreis zurück („Fontane-Preis"); 10. Oktober: Kaléko und Vinaver kommen in Jerusalem an. *Der Papagei, die Mamagei und andere komische Tiere* erscheint beim Fackelträger-Verlag, Hannover

1963   Kaléko verlangt vom Rowohlt Verlag die Rückgabe der Veröffentlichungsrechte ihrer ersten zwei Bücher

1967   *Verse in Dur und Moll* erscheint beim Walter Verlag, Olten

1968   28. Juli: Sohn Steven stirbt unerwartet in Pittsfield, PA; *Das himmelgraue Poesiealbum der Mascha Kaléko* erscheint beim Blanvalet Verlag, Berlin

boards ship "Britannic" in LeHavre on October 14; October 23: arrival New York City (378 Central Park W.)

1939   Chemjo founds the "Vinaver Choir"; Kaléko manages many of its activities

1940   July: move to Hollywood, California

1941   January: return to New York City (through August at 245 East 11 Street, then move to 253 West 16th Street)

1942   move to new apartment at 1 Minetta Street, Greenwich Village, New York

1944   November 20: Kaléko becomes American citizen

1945   3rd book of poems published by Schoenhof Verlag, Cambridge, MA: *Verse für Zeitgenossen*

1952   travels with Chemjo to Israel and Paris

1955   December 31: Kaléko boards ship from New York to Bremerhaven, Germany.

1956   February: new edition of her first 2 books published by Rowohlt Verlag. Kaléko travels throughout Germany; December: return to New York City

1958   Rowohlt Verlag publishes German edition of *Verse für Zeitgenossen;* September: Kaléko and Vinaver travel to Berlin

1959   May: Kaléko rejects literary award ("Fontane-Preis"); October 10: Kaléko and Vinaver arrive in Jerusalem. *Der Papagei, die Mamagei und andere komische Tiere* published by Fackelträger-Verlag, Hannover

1963   Kaléko reclaims the publishing rights for her first two books from Rowohlt Verlag

1967   *Verse in Dur und Moll* published by Walter Verlag, Olten

1968   July 28: son Steven dies unexpectedly in Pittsfield, Pa.; *Das himmelgraue Poesiealbum der Mascha Kaléko* published by Blanvalet Verlag, Berlin

1971   *Wie's auf dem Mond zugeht* published by Blanvalet Verlag, Berlin

1973   *Hat alles seine zwei Schattenseiten* published by Eremiten-Presse, Düsseldorf; December 16: Chemjo Vinaver dies;

1971   *Wie's auf dem Mond zugeht* erscheint beim Blanvalet Verlag, Berlin

1973   *Hat alles seine zwei Schattenseiten* erscheint bei der Eremiten-Presse, Düsseldorf; 16. Dezember: Chemjo Vinaver stirbt

1974   Juli: Kaléko reist nach Europa; letzter Besuch mit Lesungen in Berlin. Unterbrechung der Reise in Zürich auf dem Weg zurück nach Israel und Krankenhausaufenthalt; Diagnose ist Magenkrebs im Endstadium

1975   21. Januar: Mascha Kaléko stirbt; 23. Januar: Beerdigung auf dem Friedhof Friesenberg bei Zürich.

1974   July: Kaléko travels to Europe; last visit with readings in Berlin. Stop-over in Zurich en route to Israel and hospitalization. Diagnosis of terminal stomach cancer

1975   January 21: Mascha Kaléko dies; January 23: burial at Friesenberg cemetery, Zurich.

Ich werde still sein; doch mein Lied geht weiter.
(Auszug aus „Letztes Lied")

Spätere Bücher mit bis dahin unveröffentlichten Gedichten:

1976 *Feine Pflänzchen. Rosen, Tulpen, Nelken & Nahrhaftere Gewächse*
verlegt bei der Eremiten-Presse, Düsseldorf

1977 *Der Gott der kleinen Webefehler* verlegt bei der Eremiten-Presse;
In meinen Träumen läutet es Sturm verlegt beim Deutschen
Taschenbuch Verlag, München;
Horoskop gefällig? Verse in Dur und Moll verlegt beim Eulenspiegel
Verlag, Ost-Berlin

1980 *Heute ist morgen schon gestern* verlegt beim arani-Verlag, Berlin

1981 *Tag und Nacht Notizen* verlegt bei der Eremiten-Presse

1984 *Ich bin von anno dazumal* verlegt beim arani-Verlag

Ausgewählte Anthologien und Sammlungen neueren Datums:

2003 *Die paar leuchtenden Jahre*

2007 *Mein Lied geht weiter*

2012 *Mascha Kaléko: Sämtliche Werke und Briefe*

2013 *Sei klug und halte dich an Wunder*

2014 *„Liebst du mich eigentlich?"*

2015 *Liebesgedichte*

(Alle bei Deutscher Taschenbuch Verlag, München)

Biografien:

Zoch-Westphal, Gisela. *Aus den sechs Leben der Mascha Kaléko.* Berlin:
arani-Verlag, 1987.

Nolte, Andreas. *„Mir ist zuweilen so als ob das Herz in mir zerbrach":
Leben und Werk Mascha Kalékos im Spiegel ihrer sprichwörtlichen
Dichtung.* Bern: Peter Lang Verlag, 2003.

Rosenkranz, Jutta. *Mascha Kaléko: Biografie.* München: Deutscher
Taschenbuch Verlag, 2007.

I will be quiet; but my song goes on.
(excerpt from "Last Song")

Later books with poems not previously published:

1976   *Feine Pflänzchen. Rosen, Tulpen, Nelken & Nahrhaftere Gewächse*
        published by Eremiten-Presse, Düsseldorf

1977   *Der Gott der kleinen Webefehler* published by Eremiten-Presse;
        In meinen Träumen läutet es Sturm published by Deutscher
        Taschenbuch Verlag, Munich;
        Horoskop gefällig? Verse in Dur und Moll published by Eulenspiegel
        Verlag, Berlin (East)

1980   *Heute ist morgen schon gestern* published by arani-Verlag, Berlin

1981   *Tag und Nacht Notizen* published by Eremiten-Presse

1984   *Ich bin von anno dazumal* published by arani-Verlag

Selected anthologies and collections published more recently:

2003   *Die paar leuchtenden Jahre*

2007   *Mein Lied geht weiter*

2012   *Mascha Kaléko: Sämtliche Werke und Briefe*

2013   *Sei klug und halte dich an Wunder*

2014   *„Liebst du mich eigentlich?"*

2015   *Liebesgedichte*

(All by Deutscher Taschenbuch Verlag, Munich)

Biographies:

Zoch-Westphal, Gisela. *Aus den sechs Leben der Mascha Kaléko.* Berlin:
     arani-Verlag, 1987.

Nolte, Andreas. *„Mir ist zuweilen so als ob das Herz in mir zerbrach":*
     Leben und Werk Mascha Kalékos im Spiegel ihrer sprichwörtlichen
     Dichtung. Bern: Peter Lang Verlag, 2003.

Rosenkranz, Jutta. *Mascha Kaléko: Biografie.* Munich: Deutscher
     Taschenbuch Verlag, 2007.

Anhang 2
Verzeichnis von **Titeln** und *Anfangszeilen*

Appendix 2
Index of **Titles** and *First Lines*

188

Danksagungen (2010)

Ich danke dem Deutschen Taschenbuch Verlag (dtv) und dem Rowohlt Verlag für die Genehmigung zur Verwendung der Gedichte in diesem Buch. Frau Constanze Chory vom dtv und Frau Gertje Berger-Maaß und Frau Carolin Kettmann bei Rowohlt, sowie Frau Gisela Zoch-Westphal und Frau Lore Cortis waren überaus hilfreich bei der Erlangung der Rechte für diese Publikation.

Die Urheberrechte für die deutschen Gedichte in dieser Ausgabe sind wie folgt:

Das lyrische Stenogrammheft © 1933 Mascha Kaléko; © 1956 Rowohlt Verlag GmbH, Hamburg.

Kleines Lesebuch für Große © 1934 Mascha Kaléko; © 1956 Rowohlt Verlag GmbH, Hamburg.

In meinen Träumen läutet es Sturm. Herausgegeben von Gisela Zoch-Westphal © 1977 Deutscher Taschenbuch Verlag, München.

Die paar leuchtenden Jahre. Herausgegeben von Gisela Zoch-Westphal © 2003 Deutscher Taschenbuch Verlag, München.

Mein Lied geht weiter. Herausgegeben von Gisela Zoch-Westphal © 2007 Deutscher Taschenbuch Verlag, München.

Verse für Zeitgenossen © 1958 Rowohlt Verlag, Hamburg
Das Gedicht „Memento" ist entnommen aus *Verse für Zeitgenossen*. © 1975, Gisela Zoch-Westphal, zuerst erschienen beim Rowohlt Verlag GmbH, Hamburg.

Das himmelgraue Poesie-Album © 1986 Deutscher Taschenbuch Verlag, München.

Ich danke der Abteilung Deutsch und Russisch an der Universität von Vermont, und vor allem Prof. Wolfgang Mieder, der diese Publikation ermöglicht hat.

Acknowledgements (2010)

I would like to thank Deutscher Taschenbuch Verlag (dtv) und Rowohlt Verlag for their permission to use the poems included in this book. Ms. Constanze Chory at dtv and Ms. Gertje Berger-Maaß and Ms. Carolin Kettmann at Rowohlt, as well as Ms. Gisela Zoch-Westphal and Ms. Lore Cortis were very helpful in providing the rights for this publication.

I thank the Department of German and Russian, and especially Prof. Wolfgang Mieder, for making this publication possible.

Quellenangaben / Sources

Zusätzlich zu den vorgenannten Danksagungen mit den Urheberrechten der deutschen Gedichte, sind nachstehend die Seitenzahlen der Gedichte aus den hier verwendeten Quellen angegeben. Ausserdem genannt sind die Seitenzahlen in *Mascha Kaléko: Sämtliche Werke und Briefe* (Deutscher Taschenbuch Verlag, 2012). Die Reihenfolge in der nachfolgenden Aufstellung richtet sich nach der Anordnung der Gedichte im vorliegenden Buch.

In addition to the aforementioned acknowledgements with copyright information about the German poems, the following lists page numbers of poems in the publications used here. Also provided are page numbers in *Mascha Kaléko: Sämtliche Werke und Briefe* (Deutscher Taschenbuch Verlag, 2012). The sequence below follows the order of poems in this book.

Das lyrische Stenogrammheft
Reinbek: Rowohlt Verlag, 1974 (Erstausgabe/1st. edition 1933)
    Angebrochener Abend (S.24 und *Werke*, S.26)
    Frühling über Berlin (S.37 und *Werke*, S.39)
    Ein kleiner Mann stirbt (S.19 und *Werke*, S.21)
    Blasse Tage (S.48 und *Werke*, S.53)
    Melancholie eines Alleinstehenden (S.52 und *Werke*, S.56)
    Kleine Havel-Ansichtskarte (S.63 und *Werke*, S.68)

Kleines Lesebuch für Große
Reinbek: Rowohlt Verlag, 1974 (Erstausgabe/1st. edition 1934)
    Auf einen Café-Tisch gekritzelt... (S.110 und *Werke*, S.112)
    Von Mensch zu Mensch (S.75 und *Werke*, S.81)
    Von Elternhaus und Jugendzeit (S.119 und *Werke*, S.119)
    Von den Jahreszeiten (S.139 und *Werke*, S.137)
    Von Reise und Wanderung (S.159 und *Werke*, S.155)
    Für Einen (S.94 und *Werke*, S.98)
    Auf eine Leierkastenmelodie... (S.135 und *Werke*, S.134)
    Bewölkt, mit leichten Niederschlägen... (S.143 und *Werke*, S.142)
    Kleines Liebeslied (S.86 und *Werke*, S.92)

Mein Lied geht weiter
München: Deutscher Taschenbuch Verlag, 2007
    Zeitgemässe Ansprache (S.117 und *Werke*, S.182)
    Auf einer Bank (S.79 und *Werke*, S.187)
    Der kleine Unterschied (S.80 und *Werke*, S.665)
    Rezept (S.68 und *Werke*, S.307)
    Keiner wartet (S.60 und *Werke*, S.642)
    Mein schönstes Gedicht (S.147 und *Werke*, S.394)
    Letztes Lied (S.25 und *Werke*, S.654)

Verse für Zeitgenossen
Reinbek: Rowohlt Verlag, 1980 (Erstausgabe/1st. edition USA 1945)
    Frühlingslied für Zugereiste (S.51 und *Werke*, S.188)
    Mit auf die Reise (S.28 und *Werke*, S.203)
    Das berühmte Gefühl (S.29 und *Werke*, S.204)
    Alle 7 Jahre (S.10 und *Werke*, S.198)
    Emigranten-Monolog (S.53 und *Werke*, S.186)
    Memento (S.9 und *Werke*, S.227)

In meinen Träumen läutet es Sturm
München: Deutscher Taschenbuch Verlag, 1977
    Ein Dichter... (S.151 und *Werke*, S.608)
    New York, halbdrei (S.73 und *Werke*, S.180)
    Im Volkston (S.32 und *Werke*, S.590)
    Nachts (S.74 und *Werke*, S.651)
    Heimweh, wonach? (S.105 und *Werke*, S.668)
    In meinem Hause (S.114 und *Werke*, S.649)
    Ich und Du (S.37 und *Werke*, S.642)
    Signal (S.28 und *Werke*, S.640)
    Bleibtreu heisst die Strasse (S.136 und *Werke*, S.669)
    Stickmuster-Spruch fürs Kopfkissen (S.76 und *Werke*, S.678)
    Irgendwer (S.84 und *Werke*, S.610)
    Der Eremit (S.49 und *Werke*, S.668)
    Gute Vorsätze (S.151 und *Werke*, S.608)
    Das „Mögliche" (S.154 und *Werke*, S.610)
    Was man so braucht... (S.157 und *Werke*, S.613)

Die paar leuchtenden Jahre
München: Deutscher Taschenbuch Verlag, 2003
    Advent (S.170 und *Werke*, S.340)

Der Mann im Mond (S.169 und *Werke*, S.338)
Der Flamingo (S.138 und *Werke*, S.271)
Der Storch (S.148 und *Werke*, S.285)
Bei Känguruhs (S.149 und *Werke*, S.282)
Krokodilemma (S.151 und *Werke*, S.282)
Die Schildkröte (S.149 und *Werke*, S.290)
Erbsen (S.213 und *Werke*, S.626)
Erika (S.206 und *Werke*, S.619)
Rosen (S.209 und *Werke*, S.622)
Kein Kinderlied (S.34 und *Werke*, S.310)
Die frühen Jahre (S.231 und *Werke*, S.669)
Vorsicht – vor der Vorsicht! (S.47 und *Werke*, S.319)
Den Snobisten (S.49 und *Werke*, S.320)
Die vielgerühmte Einsamkeit (S.53 und *Werke*, S.361)
Im Telegrammstil (S.54 und *Werke*, S.362)
Den Utopisten (S.55 und *Werke*, S.363)
Der goldene Mittelweg (S.57 und *Werke*, S.365)
Mein Epitaph (S.59 und *Werke*, S.367)

Das himmelgraue Poesie-Album
München: Deutscher Taschenbuch Verlag, 1986
Kein Neutöner (S.8 und *Werke*, S.301)
Was du nicht willst, daß man dir tu (S.86 und *Werke*, S.325)
Wer einmal lügt, dem glaubt man nicht (S.90 und *Werke*, S.326)
Eines läßt sich nicht bestreiten (S.98 und *Werke*, S.3)

About Fomite

A fomite is a medium capable of transmitting infectious organisms from one individual to another.

"The activity of art is based on the capacity of people to be infected by the feelings of others." Tolstoy, *What Is Art?*

Writing a review on Amazon, Good Reads, Shelfari, Library Thing or other social media sites for readers will help the progress of independent publishing. To submit a review, go to the book page on any of the sites and follow the links for reviews. Books from independent presses rely on reader to reader communications.

For more information or to order any of our books, visit http://www.fomitepress.com/FOMITE/Our_Books.html

More Titles from Fomite...

Novels

Joshua Amses — *During This, Our Nadir*
Joshua Amses — *Raven or Crow*
Joshua Amses — *The Moment Before an Injury*
Jaysinh Birjepatel — *The Good Muslim of Jackson Heights*
Jaysinh Birjepatel — *Nothing Beside Remains*
David Brizer — *Victor Rand*
Paula Closson Buck — *Summer on the Cold War Planet*
Marc Estrin — *Hyde*
Marc Estrin — *Speckled Vanitie*
Zdravka Evtimova — *Sinfonia Bulgarica*
Daniel Forbes — *Derail This Train Wreck*
Greg Guma — *Dons of Time*
Richard Hawley — *The Three Lives of Jonathan Force*
Lamar Herrin — *Father Figure*
Ron Jacobs — *All the Sinners Saints*
Ron Jacobs — *Short Order Frame Up*
Ron Jacobs — *The Co-conspirator's Tale*

Scott Archer Jones — *A Rising Tide of People Swept Away*
Maggie Kast — *A Free Unsullied Land*
Darrell Kastin — *Shadowboxing with Bukowski*
Coleen Kearon — *Feminist on Fire*
Jan Englis Leary — *Thicker Than Blood*
Diane Lefer — *Confessions of a Carnivore*
Rob Lenihan — *Born Speaking Lies*
Ilan Mochari — *Zinsky the Obscure*
Andy Potok — *My Father's Keeper*
Robert Rosenberg — *Isles of the Blind*
Fred Skolnik — *Rafi's World*
Lynn Sloan — *Principles of Navigation*
L.E. Smith — *The Consequence of Gesture*
L.E. Smith — *Travers' Inferno*
Bob Sommer — *A Great Fullness*
Tom Walker — *A Day in the Life*
Susan V. Weiss — *My God, What Have We Done?*
Peter M. Wheelwright — *As It Is On Earth*
Suzie Wizowaty — *The Return of Jason Green*

Poetry
Antonello Borra — *Alfabestiario*
Antonello Borra — *AlphaBetaBestiaro*
James Connolly — *Picking Up the Bodies*
Greg Delanty — *Loosestrife*
Mason Drukman — *Drawing on Life*
J. C. Ellefson — *Foreign Tales of Exemplum and Woe*
Anna Faktorovich — *Improvisational Arguments*
Barry Goldensohn — *Snake in the Spine, Wolf in the Heart*
Barry Goldensohn — *The Hundred Yard Dash Man*
Barry Goldensohn — *The Listener Aspires to the Condition of Music*
R. L. Green When — *You Remember Deir Yassin*
Kate Magill — *Roadworthy Creature, Roadworthy Craft*
Tony Magistrale — *Entanglements*
Sherry Olson — *Four-Way Stop*
Janice Miller Potter — *Meanwell*
Joseph D. Reich — *Connecting the Dots to Shangrila*

Stories

Odd Birds

Micheal Breiner — *the way none of this happened*
Gail Holst-Warhaft — *The Fall of Athens*
Roger Leboitz — *A Guide to the Western Slopes and the Outlying Area*
dug Nap— *Artsy Fartsy*
Delia Bell Robinson — *A Shirtwaist Story*
Peter Schumann — *Planet Kasper, Volumes One and Two*
Peter Schumann — *Bread & Sentences*
Peter Schumann — *Faust 3*

Plays

Stephen Goldberg — *Screwed and Other Plays*
Michele Markarian — *Unborn Children of America*

Printed in Great Britain
by Amazon

46777798R00123